D0528916

Petit lexique
des guerres de religion
d'hier et d'aujourd'hui

Odon Vallet

Petit lexique des guerres de religion d'hier et d'aujourd'hui

Albin Michel

Albin Michel
▪ *Spiritualités* ▪

*Ouvrage publié sous la direction
de Jean Mouttapa*

22, rue Huyghens, 75014 Paris
www.albin-michel.fr
ISBN 2-226-14272-X

Avant-propos

Unir et séparer : tel est le double objectif des religions qui relient les croyants et s'opposent aux « mécréants ». Communier et excommunier : telles sont les deux fonctions antagonistes du lien religieux qui lutte contre l'isolement et craint les divisions. Toute Église est une mère qui réchauffe au risque d'étouffer. Elle répond au besoin d'absolu, facteur de discorde : l'humain est relatif, l'homme imparfait et la recherche de perfection source de déception. « Quand il croit ouvrir ses bras, son ombre est celle d'une croix et quand il croit serrer son bonheur, il le broie » (Aragon).

Ce broyage collectif se retrouve dans toutes les guerres dont certaines sont dites « de religion ». Le concept de guerre de religion date du XIXe siècle agnostique car il suppose que deux doctrines adverses sont tenues pour égales. Auparavant, on avait les guerres de la vérité contre l'erreur, de la « vraie foi » contre la « religion prétendue réformée », des disciples du Prophète contre les infidèles, du peuple d'Israël contre les idolâtres, etc.

Le religieux est toujours mêlé de profane. Les guerres d'Irlande englobent la crise de la pomme de terre (1848) comme la résistance des catholiques. La Réforme est inséparable de la Renaissance mais elle a aussi un lien avec les bactéries : la peste noire avait beaucoup affaibli l'Europe catholique (la perte démographique exigea une hausse des impôts ecclésiastiques que Luther dénonça dans sa critique des « indulgences »), mais la syphilis liée aux grandes découvertes vint au secours du catholicisme (la confession est le meilleur antidote au péché et à l'enfer).

L'interaction des données théologiques, économiques, démographiques et stratégiques est fort complexe. Il n'y a jamais de guerre « purement » religieuse ni de conflit étranger à la religion. Veut-on chasser Dieu des conflits qu'il revient au galop, comme dans cette « Union sacrée » décrétée en 1914 par une République française anticléricale.

Certes, le communisme yougoslave a su maintenir une coexistence pacifique entre Serbes orthodoxes, Croates catholiques et Bosniaques musulmans, et son effondrement marque le début des affrontements interreligieux. Mais les régimes athées ont aussi mené de véritables guerres de religion par la persécution des croyants. Le stalinisme et le maoïsme ont tué plus de prêtres chrétiens ou de moines bouddhistes que tous les fanatismes religieux de la Sainte Russie ou toutes les cruautés impériales du noble Fils du Ciel.

Éradiquer les religions ne supprime pas les

guerres de religion. L'athéisme a tué la vie éternelle mais il a ses martyrs qui luttent pour des « lendemains qui chantent », pour un paradis sur terre qui vaut celui du ciel : l'idéal d'une cause remplace l'absolu de Dieu. Et les maoïstes népalais sont aussi courageux que les bouddhistes tibétains : les maquis sont leurs monastères et leur cause sacrée n'a pas besoin de dieu vivant.

Mais dans les limites de cet ouvrage, on a préféré se cantonner aux guerres se référant à une religion traditionnelle. Cette définition exclut les sectes, persécutrices ou persécutées, même si la frontière entre secte et religion n'est pas toujours nette. Des massacres ou des suicides comme ceux du Temple du peuple (neuf cent douze morts au Guyana) ou de Waco (quatre-vingts morts en 1993 au Texas) n'ont donc pas été étudiés.

Au total, quarante et un conflits sont ici recensés, parmi les mieux connus ou les plus oubliés. On visait le chiffre quarante qui est, dans la Bible, le nombre de l'épreuve : quarante ans au désert pour l'Exode du peuple juif, quarante jours de jeûne pour Jésus tenté par le diable. Quarante est aussi le nombre de la purification avec la quarantaine des pestiférés et celle des relevailles. C'est le cycle de la vie et de la non-vie qui, comme la paix et la guerre, rythme le sort de l'humain et le culte du divin. Mais au nombre sacré de quarante, on a voulu ajouter un quarante et unième article sur la tolérance, idée très profane qui brouille la notion même de guerre de religion et rend vains les exploits des martyrs. Ces quarante et une haltes (autant géographiques qu'histori-ques) sur le sentier de la guerre religieuse auraient pu être quarante et une étapes sur les chemins de la réconciliation. Les voies romaines avaient leurs *conciliabuli* où l'on échangeait valeurs matérielles et spirituelles entre temples, théâtres et entrepôts. La Route de la soie avait ses caravansérails où l'on faisait négoce des biens et commerce des dieux entre monnaies grecques et statues bouddhiques. Le dialogue interreligieux a, depuis trente siècles, coexisté avec les guerres de religion. Tel est le bilan mitigé du brassage des croyances et du frottement des idées.

Acétone

De la poudre pour une patrie

De la poudre pour une patrie, des explosifs pour un État, tel est le premier chapitre de la genèse d'Israël au XXe siècle, celui des guerres mondiales. Ces guerres eurent aussi leurs racines religieuses et leurs bourgeons confessionnels comme le montre cette histoire conflictuelle des obus pour un Foyer.

Le Foyer national juif, prototype de l'État d'Israël, est inséparable des grands conflits européens. La promesse de ce Foyer date du 2 novembre 1917 et vient du chef du Foreign Office, Arthur Balfour. À cette promesse d'une émigration des juifs en Palestine (pour échapper aux pogroms d'Europe centrale) correspondait la promesse d'une déclaration de guerre des États-Unis d'Amérique (aux côtés de la Grande-Bretagne) grâce à une action de lobbying des juifs américains alors qu'une frange importante des sionistes allemands soutenait l'Allemagne. Et, cette déclaration étant effective depuis le 6 avril 1917, le ministre britannique n'avait fait que tenir ses engagements.

Si la « déclaration Balfour » avait la forme d'une lettre adressée à lord Rothschild, la personnalité la plus en vue de la communauté juive britannique, le véritable initiateur de cette mission était un chimiste d'origine russe installé à Manchester, Haïm Weizmann. Celui-ci avait mis au point un procédé de fabrication de l'acétone, solvant utilisé dans la fabrication d'explosifs. Les travaux de Weizmann lui permirent de nouer des contacts précieux avec les dirigeants britanniques, inquiets de la faiblesse de leur artillerie, notamment durant la désastreuse offensive de la Somme (avril 1916). Avec l'acétone et l'Amérique, Weizmann donnait aux Anglais de bons obus et de bons alliés.

Comme la Palestine était alors occupée par l'Empire ottoman, allié de l'Empire allemand, le gouvernement britannique voulut aussi séduire les rivaux des Turcs, les Arabes, et leur promit (dès 1916) un royaume arabe indépendant couvrant l'ensemble du Proche-Orient, y compris la Palestine. Les Anglais assuraient à la fois un Foyer juif et un royaume arabe, c'est-à-dire une même terre à deux peuples.

L'antijudaïsme chrétien d'Europe centrale avait conduit à la création du Foyer national juif.

L'antijudaïsme païen de l'Allemagne nazie conduisit à la création de l'État d'Israël (1948) à la suite d'une nouvelle vague de migrations. Le militaire est ici lié au religieux sans en être toujours inséparable : le mouvement sioniste du début du XXe siècle était en grande partie laïque voire marxiste, inspiré par les thèses socialistes qui s'incarnèrent dans les *kibboutzim* israéliens, équivalents des *kolkhozes* russes.

Mais le durcissement du conflit entre Juifs et Arabes sur la même terre de Palestine a engendré une radicalisation des esprits favorisant l'intégrisme religieux. Quand, en 1949, Haïm Weizmann devint le premier président de l'État d'Israël, Jérusalem n'était pas encore une ville dominée par les orthodoxes juifs et n'avait pas à se défendre contre les kamikazes islamistes. D'ailleurs, les orthodoxes juifs manifestèrent longtemps leur indifférence voire leur hostilité au mouvement sioniste considéré comme laïque si ce n'est athée. De même, l'islamisme conservateur se méfia du mouvement palestinien jugé progressiste et composite (de nombreux chrétiens arabes, comme Georges Habache, furent ses premiers combattants).

Et l'on peut toujours rêver à ce que Haïm Weizmann (devenu président de l'Organisation sioniste mondiale) déclarait en 1937 à une commission d'enquête britannique. Partisan d'un État paritaire juif et arabe, il voulait voir la Palestine « éternellement et complètement libre » adhérer au Commonwealth. Comme l'expert en dynamite Nobel créa un prix de la Paix, l'expert en acétone Weizmann voulait un État pacifique.

Afrique

Le chameau et le cargo

L'Afrique est un continent où les sources écrites très anciennes sont (sauf en Égypte) assez rares. Si l'Histoire commence avec l'écriture (ce qui peut se discuter), elle débute en Afrique noire au XVIe siècle avec l'arrivée des Européens et n'atteint toutes les régions qu'à la fin du XIXe siècle avec l'arrivée des derniers grands explorateurs dans des tribus ou royaumes gouvernés oralement. Il est donc très difficile de faire une histoire des guerres de religion en Afrique. Tout au plus peut-on dire que dans une civilisation principalement villageoise, les conflits religieux devaient être généralement locaux. Par contre, on ne prend guère de risques en annonçant, pour un avenir proche, une bataille à l'échelle du continent entre islam et christianisme.

L'Afrique antique n'était connue que par son extrémité nordique : le mot même d'« Afrique » désignait, pour les Grecs, la côte tunisienne. Celle-ci fut occupée, dès le IXe siècle avant J.-C., par les Phéniciens qui amenèrent leurs dieux (Melqart, « roi de la cité », Baal, maître suprême, etc.) et leurs cultes, lesquels comportaient prostitution sacrée et (probablement) sacrifices d'enfants. Les Grecs et les Romains apportèrent aussi leurs divinités et leur architecture, et les plus beaux temples à Zeus et à Jupiter se trouvent en Libye (Cyrène) et en Tunisie (Dougga) autant qu'en Grèce ou en Italie.

À cette époque, la Méditerranée était une mer médiatrice et la même civilisation unissait l'Europe du Sud et l'Afrique du Nord : il y a là un intéressant sujet de réflexion pour notre époque de migrations maghrébines sur le « Vieux Continent ». De même, l'Afrique devint chrétienne en même temps que l'Europe et elle eut plus que sa part de martyrs. Ceux-ci furent glorifiés et leur culte engendra le schisme donatiste : Donat, évêque algérien (numide), estimait que les renégats (*lapsi*) devaient être excommuniés et que seule l'« Église pure », sans traîtres (*traditori*), était dans le vrai.

Cette coupure entre purs et impurs se retrouvera, un millénaire plus tard, chez les cathares dont la doctrine, comme celle des donatistes, séduisit surtout les petites gens. Le radicalisme donatiste illustre bien cette intransigeance populaire qui nourrit les intégrismes vertueux. Il se double de revendications sociales et nationales (Kabyles) exprimées par les paysans révoltés et les moines exaltés (circoncellions), à la fois mendiants et brigands. La répression commença sous l'empereur Constantin et eut raison des donatistes qui furent ainsi persécutés tour à tour par des païens et des chrétiens.

L'invasion des Vandales apporta son lot de violences profanes et de guerres saintes car ces Germains convertis à l'arianisme persécutèrent (vers 482-484) les catholiques orthodoxes fidèles à la double nature humaine et divine du Christ. Ce « vandalisme » se heurta à une résistance des Berbères et à une reconquête de Byzance (533-534). Mais ces troubles théologico-politiques affaiblirent le christianisme africain et facilitèrent l'implantation de l'islam.

Celle-ci fut d'abord limitée aux côtes christianisées où les musulmans construisirent des *ribat*, monastères fortifiés où des pieux guerriers, les *mourabitin*, partageaient leur temps entre la prière et la lutte contre les envahisseurs infidèles : l'islam eut ainsi ses moines-soldats. Puis, principalement par les pistes caravanières et secondairement par les voies maritimes orientales (de l'océan Indien), l'islam gagna les régions subsahariennes. À l'inverse, les colonisateurs européens et chrétiens empruntèrent surtout les routes océaniques occidentales : pour les Africains, l'islam est venu en chameau et le Christ en cargo.

Dans presque toute l'Afrique équatoriale de l'Ouest, le nord et l'intérieur des pays sont musulmans, le sud et la zone côtière chrétiens et animistes. Cette coupure est très nette en Côte-d'Ivoire et au Nigeria, deux pays actuellement déchirés par des guerres civiles et religieuses. Une comparaison s'impose ici avec l'Inde et la Chine où le christianisme s'implanta aussi dans les régions côtières (Malabar en Inde, région de Shanghai et de Canton en Chine) et dut affronter l'hostilité ou la rivalité des religions venues de l'intérieur (hindouisme en Inde, bouddhisme en Chine).

Les frontières des États africains ayant été tracées au XIXe siècle par les colonisateurs européens selon des critères commerciaux liés à la remontée des fleuves, tout pays chrétien a son « arrière-pays » musulman. Au clivage géographique et souvent ethnique s'ajoutent des rivalités économiques entre régions et des intolérances religieuses sur tout le continent.

L'application de la *charia* au Soudan s'est accompagnée d'une véritable persécution des chrétiens qui ont créé une Armée de libération des peuples du Sud et un mouvement pour l'indépendance du Sud-Soudan, première tentative en Afrique pour remettre en cause les frontières fixées par les Européens. En Ouganda, un Mouvement de l'Esprit-Saint (1987) et une Armée de résistance du Seigneur (1995) ont subi ou provoqué des milliers de morts. En Côte-d'Ivoire, les escadrons de la mort pourchassant les membres des ethnies musulmanes du Nord sont inspirés par la présidente Simone Gbagbo et ses conseillers protestants « évangéliques ».

Aux violences des musulmans islamistes répondent celles des chrétiens intégristes. Les

Églises plus tolérantes (catholique ou protestantes) enregistrent avec inquiétude cette montée de l'intolérance, également liée à l'expansion de sectes délirantes (tel le Mouvement pour la restauration des dix commandements de Dieu, auteur, en l'an 2000, d'un « suicide » collectif de mille membres en Ouganda). Les ONG islamistes et les mosquées financées par l'Arabie saoudite rendent encore plus tendues les relations interreligieuses. En matière d'œcuménisme, l'Afrique noire est mal partie.

Animisme

La magie de la guerre

> « *Objets inanimés, avez-vous donc une âme*
> *Qui s'attache à notre âme et la force d'aimer ?* »

Ces célèbres vers de Lamartine sont la meilleure définition de l'animisme, forme de religion pour laquelle tout objet naturel (arbre, roche, astre) est animé d'un esprit, habité par un dieu.

On classe généralement le shintoïsme (voie de l'esprit) japonais parmi les religions animistes car il vénère huit cent millions de divinités (*kami*) habitant les volcans, les forêts, les îles et les champs. Mais cette spiritualité champêtre devint aussi religion officielle (*shinto* d'État) et culte national. Le Japon s'opposa donc longtemps aux influences occidentales : de 1587 à 1873, le christianisme fut interdit et persécuté. L'influence bouddhiste n'eut pas d'effet non violent et le pays du Soleil Levant, qualifié par saint François-Xavier de « florissant jardin de Dieu », devint une terre de martyrs.

Les îles du Pacifique mirent à mal le mythe du bon Sauvage. Aux Célèbes, de nombreux missionnaires protestants et anglais (ou américains) finirent leur vie dans les marmites des peuples anthropophages tandis qu'à Wallis et Futuna les victimes des cannibales étaient catholiques et françaises. Le refus de la polygamie et des coutumes locales par les religieux occidentaux fut la cause de ces atrocités qui cessèrent quand furent menées de pair évangélisation et inculturation.

Le mouvement s'inversa alors et les animistes devinrent de fervents chrétiens. Le meilleur exemple est celui de l'Ouganda, pays où furent martyrisés, en 1886, plusieurs dizaines de baptisés et où le christianisme est désormais majoritaire. Mieux encore, 90 % des Papous sont aujourd'hui baptisés sans pour autant abandonner toutes leurs croyances dans les esprits. Alors que les grandes religions constituées (islam, hindouisme, bouddhisme) résistent aux conversions, les cultes animistes morcelés, dépourvus de dogmes forts et de livres saints, sont perméables aux baptêmes. Et beaucoup de chrétiens actuellement persécutés (notamment en Indonésie) sont d'anciens animistes.

Mais les persécutés peuvent aussi devenir persécuteurs et retrouver leurs anciennes coutumes barbares : dans la partie indonésienne de Bornéo (Kalimantan) des Dayaks « coupeurs de têtes » (chrétiens ex-animistes), qui avaient rangé depuis longtemps leurs coupe-coupe, les ont utilisés, en 1997, pour trancher le crâne de musulmans immigrés venus de Java. En Birmanie, si les Karens bouddhistes ont négocié un accord avec la junte militaire au pouvoir à Rangoon, certains Karens chrétiens (ex-animistes) ont créé une Armée du Seigneur, composée de fanatiques baptistes dirigés par des jumeaux de douze ans. Mieux ou pire, les affrontements interethniques peuvent concerner des coreligionnaires comme au Rwanda où Tutsis et Hutus fraîchement catholiques et anciennement animistes se sont entretués. Par une évangélisation très superficielle, la religion devient sinon apte à déclencher la guerre du moins impuissante à faire la paix.

Mêlant intimement coutumes profanes et croyances sacrées, l'animisme pose aux grandes religions et civilisations modernes le problème des modes de vie et de croyance traditionnels face à la modernité occidentale. Peut-on mettre hors la loi des pratiques ancestrales au risque de révoltes locales ? Doit-on refuser la magie du passé au nom du mythe du progrès ? Des missions coloniales aux clergés indigènes, ces questions ne cessent de se poser. Et les réponses, souvent nuancées, doivent parfois tolérer des injustices présentes par peur de violences futures.

Antisémitisme

Un mot à double sens

La persécution des juifs est-elle une guerre de religions ?

La qualité du conflit est liée au choix des caractères : avec une minuscule, le mot « juif » désigne le membre d'une religion comme le catholique ou le musulman. Avec une majuscule, il désigne le descendant des habitants d'une région, la Judée, comme le Breton ou le Normand.

Cette subtilité de la langue française ne se retrouve pas dans d'autres idiomes comme l'allemand et n'existait pas dans l'Antiquité, lorsque ni le grec (de l'époque) ni l'hébreu ne distinguaient majuscules et minuscules. Mais elle met en évidence l'ambiguïté du judaïsme qui relève à la fois de l'appartenance nationale et de la fidélité spirituelle, de la filiation humaine et de la terre des ancêtres. La notion de peuple de Dieu résume cette diversité et le judaïsme se rapproche ici de l'hindouisme : le judaïsme est très lié au sionisme comme l'hindouisme à l'indianité. Mais le judaïsme y ajoute la prétention ou la vocation à l'universel d'un dieu incomparable et d'un peuple irréductible : en un sens, faire la guerre aux juifs serait faire la guerre aux hommes.

La « guerre des Juifs » (Ier et IIe siècles après J.-C.), ainsi qualifiée par l'historien judéo-romain Flavius Josèphe, était plus modestement une rébellion de colonisés contre l'occupant romain, assez semblable à la révolte des Cipayes indiens (1857) contre l'occupant britannique. La terrible répression qui fit des centaines de milliers de victimes fut une vraie « désolation » (*Shoah*) mais ne suffit pas à transformer un mouvement d'indépendance en guerre de religion même si certaines violences romaines (pillage du trésor du Temple, interdiction de la circoncision) eurent une dimension antireligieuse. La véritable guerre de religion de l'Antiquité romaine fut la persécution des chrétiens.

Au Moyen Âge, à partir de 1096 (date de la première croisade), se développent un sentiment et une activité antijuifs qui relèvent à la fois de l'intolérance religieuse (les « perfides juifs » seraient les assassins du Christ) et de la rivalité profane (les artisans, commerçants et financiers juifs seraient de mauvais payeurs et prêteurs).

Au XIXe siècle, le mouvement des nationalités engendra l'antisémitisme moderne : si les Juifs forment une nation, ne sont-ils pas un État dans l'État, voire un groupe de traîtres à leur pays, d'apatrides au service de l'étranger ? Le nationalisme russe (teinté d'orthodoxie) engendra les pogroms et le nationalisme allemand (teinté de paganisme) la *Shoah*. Même si les clergés et les fidèles chrétiens étaient majoritairement antisémites, l'élément religieux ne fut qu'un facteur parmi d'autres de la haine contre les juifs, ces boucs émissaires des maux de la société. Par une affreuse équivalence, quand l'Allemagne eut six millions de chômeurs, elle tua six millions de juifs.

Le mot même d'« antisémitisme » n'a aucun caractère religieux : apparu en allemand (*antisemitismus*) vers 1880, il est repris, en français et en 1886, par Édouard Drumont, journaliste catholique et antijuif, auteur de *La France juive*. Il devient une expression courante à partir de 1894 et de l'affaire Dreyfus. L'antisémitisme désigne, en fait, l'antijudaïsme. Or la notion de sémitisme est purement linguistique : c'est une tournure propre aux langues sémitiques comme un germanisme est une particularité des langues germaniques. Les langues sémitiques englobent le phénicien et l'arabe mais on n'a jamais parlé d'antisémitisme pour les ennemis du Liban et de l'Arabie. Le groupe sémitique se comparant souvent au groupe indo-européen, des théoriciens allemands, mélangeant abusivement la « race » et la langue, ont élaboré des théories délirantes opposant les « Aryens » aux « Sémites ». Et, comme dans l'Allemagne du début du XXe siècle résidaient des Juifs et non des Arabes, l'antisémitisme s'est appliqué aux premiers et pas aux seconds. Pourtant, la plupart des juifs européens de l'époque ne parlaient pas un mot d'hébreu.

Ces confusions de vocabulaire montrent à quel point la haine peut aveugler les hommes, la religion n'étant qu'un élément des différences qui suscitent le rejet. On y répondra par ce bel éloge du métissage, chanté par Georges Moustaki : « Avec ma gueule de métèque, de juif errant, de pâtre grec... nous ferons de chaque jour une éternité d'amour. »

Arabes

La foi au galop

Comment dominer les peuples sans conquérir les âmes ? Peut-on étendre un empire sans répandre sa foi ? La réponse n'est pas évidente. Rome colonisa toutes les « terres connues » de la planète sans toucher à leurs dieux et n'imposa qu'à l'époque impérial le culte universel de l'empereur divinisé. La Grande-Bretagne posséda le sous-continent indien sans chasser l'islam ou l'hindouisme : impératrice des Indes et chef temporel de l'Église anglicane, la reine Victoria n'a jamais cherché à transformer les Indiens en protestants. Et quand la France conquit l'Algérie, Napoléon III et le maréchal de Mac-Mahon s'opposèrent au cardinal Lavigerie, archevêque d'Alger, qui voulait convertir les jeunes musulmans.

Mais, à la mort de Mahomet, les armées arabes répandirent la foi musulmane de la Garonne à l'Indus : en moins d'un siècle, une partie du monde avait changé de chef et de dieu, passant sous le contrôle du calife et la tutelle d'Allah. Certes, des minorités gardaient leur religion juive, chrétienne ou zoroastrienne et vivaient avec le statut de *dhimmi* (protégés) au prix d'un impôt spécial. Toutefois, la majorité des habitants adoptèrent progressivement la foi du vainqueur : on ne peut donc séparer conquêtes arabes et expansion de l'islam.

Pourquoi celles-ci furent-elles aussi rapides ? Parce que l'union des Arabes fit leur force et la désunion de leurs adversaires leur faiblesse. Sous la bannière du dieu unique, les soldats du Prophète combattirent deux empires rivaux, l'un romano-byzantin et l'autre perso-sassanide. Et chacun de ces ensembles était fragmenté par des querelles théologiques et politiques. Entre rois iraniens assassinés et évêques africains excommuniés, entre révolutions de palais et querelles de sacristie, les Arabes progressaient facilement : le croissant de l'islam remplaçait la croix du Christ et le feu de Zoroastre.

La « vraie croix » avait été dérobée au Saint-Sépulcre en l'an 614 lors de la prise de Jérusalem par Chosroès II, le roi perse dont l'armée comptait neuf cents éléphants et le harem douze mille femmes (chiffre invérifiable). Pour l'empereur de Byzance Héraclius, l'ennemi était iranien et, quand il put ramener (en l'an 630) ses armées à

Jérusalem et la sainte Croix dans sa basilique, la victoire semblait acquise. Or le calife Omar prenait Ctésiphon (la capitale sassanide, située en Irak) en 637 et Jérusalem en 638.

L'empereur de Byzance défendait l'orthodoxie trinitaire : un seul dieu en trois personnes d'égale dignité. Et les tenants de l'orthodoxie étaient dits « melkites », c'est-à-dire partisans de l'empereur. Les hérétiques étaient donc les adversaires provinciaux d'un pouvoir centralisé : coptes monophysites d'Égypte croyant en un Christ d'une seule nature (divine, englobant la nature humaine), Syriens nestoriens, voyant en Marie la mère de Jésus et non de Dieu, Libanais monothélites niant la volonté humaine de Jésus, etc. L'islam antitrinitaire et les Arabes antibyzantins leur apparurent, sinon comme des alliés du ciel, du moins comme des adversaires estimables.

La première grande bataille, en l'an 634, eut lieu sur les rives du Yarmouk, affluent du Jourdain, près du lac de Tibériade. La victoire de l'islam fut due à la jonction de plusieurs contingents arabes (venus de Syrie, de Jordanie et de Palestine) et au rôle décisif de la cavalerie légère : l'unité des croyants-combattants et la rapidité des chevaux permirent de vaincre la lourde armée byzantine d'Héraclius. Mais il faudra encore huit siècles, jusqu'à la prise de Constantinople (1453), pour que l'Empire byzantin s'effondre.

La deuxième bataille, en l'an 635, celle d'El-Quadissiya, eut lieu au nord de Koufa, sur les rives de l'Euphrate. Elle vit la victoire des Arabes sur les Persans et des chevaux sur les éléphants. Deux ans plus tard, les armées musulmanes prirent Ctésiphon et s'ouvrirent les portes de l'Iran qui fut conquis en une dizaine d'années.

Si les différentes phases de ces combats sont à interpréter avec prudence (la version du vainqueur est probablement enjolivée), cette fulgurante avancée de l'islam fut à la fois la cause et la conséquence de l'unité naissante du monde arabe face à de vastes empires hétéroclites aux armées comportant de nombreux mercenaires.

Désormais, la religion de Mahomet s'étendait au-delà du monde sémitique : dans la Perse indo-européenne, l'Afrique berbère, les villes hellénistiques, etc. On pouvait donc se dire musulman sans être arabe.

Arts martiaux

Mystique et combat

Des mystiques de combat et des techniques de défense : tel est l'étrange alliage des arts martiaux, placés sous les auspices de Mars, le dieu romain de la guerre. On les connaît sous ce nom depuis 1933, date où fut formé le néologisme anglais *martial arts*, à une époque où le militarisme nippon était à son apogée.

Donner une dimension religieuse à des méthodes d'affrontement physique n'est pas une spécificité extrême-orientale. La lutte, le pugilat et le pancrace (sorte de catch) figuraient au programme des Jeux olympiques antiques où les combattants nus invoquaient Zeus avant leurs assauts. Le christianisme, à la suite du judaïsme, refusa ces jeux « païens » (l'évêque Ambroise de Milan fit interdire les Jeux olympiques par l'empereur Théodose en 393 après J.-C.) et donna à la lutte une dimension plus spirituelle et moins corporelle : « Je boxe ainsi, je ne frappe pas dans le vide » (I Corinthiens 9, 26), disait saint Paul pour illustrer son match contre le mal.

L'Occident opposa dorénavant les dimensions physiques et psychiques de l'être humain, du moins jusqu'à la fin du XIXe siècle et au rétablissement des Jeux olympiques, proposé par un religieux dominicain (le Père Didon) et effectué grâce à un aristocrate français (le baron de Coubertin). Au contraire, la conjugaison (*yoga*) de l'âme et du corps a toujours été présente dans la pensée indienne et se manifeste dans les arts martiaux du sud de l'Inde, tel le *kalaripayat*, technique de combat bimillénaire des guerriers du Kerala.

Ces arts martiaux indiens ont pu influencer les arts chinois, eux-mêmes marqués par la figure mythique d'un moine indien du VIe siècle après J.-C., Bodhidharma, qui aurait exporté dans l'Asie du Sud-Est les méthodes de concentration connues sous le nom de *dhyana* (sanskrit), *chan* (chinois) et *zen* (japonais). Le premier fruit de cette méthode fut le *kung-fu* (effort méritoire), l'un des nombreux « arts de la guerre » (*wushu*) chinois. Cette technique fut élaborée, à partir du VIIIe siècle après J.-C., par les moines bouddhistes du monastère de la Petite Forêt (*Shaolinsi*) en butte aux attaques des pillards.

Et ces religieux servirent d'entraîneurs aux soldats des armées impériales chargées de repousser les envahisseurs mongols. Sur le plan intérieur, les arts de la guerre chinois permirent aussi bien de mater les révoltes paysannes que d'aider les rébellions mystiques et anarchistes comme celles du Lotus blanc (1774), des Taiping (1850) ou des Boxers (1900). Les Japonais perfectionnèrent des arts martiaux chinois et inventèrent leurs propres « voies » (*dô*) de combat comme le *jûdô* (voie de la souplesse), le *karate dô* (voie des mains vides), l'*aikidô* (voie de l'harmonie du souffle), le *taekwondô* (voie des pieds et des poings) d'origine coréenne, etc. La plupart de ces techniques de combat ont une origine religieuse : le *sumô* est issu du shintoïsme et de ses rites de fertilité (l'obésité témoigne de l'abondance des récoltes de riz) ; le judo a été créé, en 1882, dans un temple bouddhiste de Tokyo. En alliant maîtrise de soi et victoire sur l'autre, paix de l'âme et force du corps, elles célèbrent un mariage des contraires qui est l'objectif ultime du phénomène religieux et la résolution expresse des tensions humaines.

Les arts martiaux furent utilisés par le militarisme nippon au début du XXe siècle et certains monastères zen devinrent des centres de dévotion impérialiste. Mais ils se sont aussi intégrés au sport civil et le judo fut inscrit au programme olympique à partir de 1964 avant d'être enseigné un peu partout, des écoles primaires aux clubs de retraités. Des tatamis du troisième âge aux commandos des forces spéciales, les arts martiaux sont diversement utilisés, pour tuer son prochain ou rajeunir son corps, repousser les agressions ou se forger un mental.

Assassins

La drogue de la haine

Les « assassins » étaient des chiites mais les chiites ne sont pas des assassins. Les assassins formaient un groupe de musulmans chiites qui, au IXe siècle, vivaient dans des forteresses de Perse (Alamût) ou de Syrie. Ils haïssaient à tel point les dirigeants sunnites du monde arabe qu'ils firent allégeance aux croisés (1227). Pour semer la terreur, ils se droguaient (dit-on) au haschisch et on les appela des *hachaychin* ou assassins. Ils furent vaincus (vers 1273) par deux monarques pourtant rivaux : le sultan mamelouk musulman Baïbars et le chef mongol antimusulman Hulagu.

Ces terroristes étaient des chiites ismaéliens septicémains, vénérant le septième imam, Mohammed Ben Ismaël, et se distinguant des chiites duodécimains vénérant les douze premiers imams, comme des chiites zaydites vénérant les cinq premiers imams. Les duodécimains, majoritaires dans le chiisme, vivent surtout en Iran et les zaydites au Yémen mais il est bien impossible de les situer sur une échelle de la violence : la plupart des duodécimains n'ont jamais considéré les imams comme des chefs de guerre ni les ayatollahs comme des chefs d'État : les positions extrémistes de Khomeiny sont des caricatures du chiisme iranien.

Mais les ismaéliens ne sont pas des assassins. Influencés par l'ismaélisme tout en ayant des convictions originales, les alaouites de Syrie (croyant en une triade divinisée composée d'Ali, de Mahomet et de Salman le Persan, compagnon du Prophète) vécurent, comme les assassins, dans des refuges montagneux. Ils furent historiquement autant persécutés que persécuteurs, et jouent aujourd'hui un rôle majeur dans la politique syrienne à travers la personne et la famille du président Al-Assad.

La même ambiguïté vaut pour les druzes du Liban qui vénèrent Al-Hakim, un calife sanguinaire du XIe siècle, considéré comme une réincarnation de Dieu. Comme toutes les minorités menacées, les druzes ont de fortes traditions militaires (certains font leur service militaire dans l'armée israélienne). En 1860, avec la complicité des Turcs, ils massacrèrent vingt mille chrétiens. En 1926, ils se révoltèrent contre la France qui exerçait sur le Liban une tutelle au nom de la Société des Nations. Mais les druzes peuvent aussi se dire persécutés car cette petite communauté (les mariages mixtes y sont interdits) eut à se défendre contre les sunnites égyptiens, les croisés latins et les Turcs ottomans. Et comme ils n'observent pas le ramadan et ne font pas le pèlerinage de La Mecque, leur cote est assez basse dans le monde musulman.

Mais pourquoi les assassins ont-ils disparu rapidement alors que les alaouites et les druzes ont survécu ? La question est celle des fins et non des moyens. Qu'est-ce qui distingue Attila et Mahomet, ces deux chefs militaires ? Le premier a laissé des ruines et le second un Livre. L'empire du premier s'écroula après sa mort, l'œuvre du second a traversé les siècles. De même, les assassins n'ont pu donner à leur action militaire une base théorique alors qu'alaouites et druzes ont construit une doctrine syncrétique. Les premiers ont tenté un rapprochement avec la foi chrétienne (la notion de « Trinité » sauvant le monde) et la pensée indienne (la transmigration des âmes). Les seconds, également adeptes de la métempsycose, ont voulu faire coexister ésotérisme et exotérisme puisque certains druzes sont des privilégiés, initiés aux mystères de la religion, tandis que d'autres ne seront initiés qu'après leur mort et une bonne réincarnation.

Mettre un Coran sur une épée ou une croix sur un char (comme les milices chrétiennes au Liban), c'est faire œuvre de mort. Mais pour donner des raisons de vivre, il faut avoir des motifs de croire et, donc, de transmettre une foi, laquelle ne peut se confondre avec la haine à moins de confondre le bain de sang et l'eau bénite. C'est d'ailleurs ce que font les assassins chrétiens de Medellín, hommes de main des cartels de la drogue, quand ils trempent leurs balles dans le bénitier d'une église.

Quant aux assassins, ils eurent des descendants très pacifiques. Car si le chiisme ismaélien nizaride (celui des *hachaychin*) fut progressivement dispersé, dès le IXe siècle, une grande partie d'entre eux (les moustaailites) se regroupèrent sous la direction d'un chef spirituel, l'Aga Khan, noble Iranien qui dut s'exiler en Inde. Son altesse impériale et royale le prince Aga Khan, vénéré par ses sujets, anobli par la reine d'Angleterre (impératrice des Indes) et le shah d'Iran, dirige aujourd'hui une communauté de dix millions de fidèles et n'a rien d'un intégriste ni d'un terroriste. Dans son fief de la haute vallée de l'Indus (Pakistan), les femmes ne sont pas voilées. Et ses chevaux n'ont d'autre champ de bataille que les hippodromes. Le successeur des assassins aime mieux jouer au tiercé qu'à la guerre. Qui s'en plaindrait ?

Auguste

Ou le pouvoir divinisé

Il était celui qui donne les présages et reçoit les honneurs, l'« augure » et l'« auguste » ; celui qui fait exister l'empire et prospérer les cultes, l'« autorité » humaine et l'« auxiliaire » divin. Il faisait « augmenter » la richesse et le pouvoir de Rome, et son nom (comme tous les mots de la même famille) est issu d'une racine indo-européenne *aug* signifiant « faire croître » ou « faire exister ». Doté de cet accroissement et de cette existence célestes, l'empereur régnait sur la terre avec l'auréole du sacré.

Octave reçut ce titre du Sénat en 27 avant J.-C. et il transforma la république romaine en monarchie de droit divin. Se plaçant sous le signe d'Apollon, il devient grand pontife (*summus pontifex*), titre qui sera repris par le souverain pontife des chrétiens, le pape. Pourtant, les chrétiens ont été persécutés par cet Auguste, titre transmis à tous les empereurs romains. Ces persécutions brèves et brutales, entrecoupées de longues périodes de tolérance, constituèrent une véritable guerre de religion, contrastant avec les siècles d'œcuménisme et de syncrétisme de l'antique religion romaine.

Quand Vénus la Romaine était assimilée à Aphrodite la Grecque, Astarté la Phénicienne ou Ishtar la Babylonienne, il n'y avait nulle raison de s'en prendre aux statues des déesses ou aux corps de leurs dévots. Mais Jésus, dit le Christ, ne put être assimilé à aucun dieu païen (comme d'ailleurs le dieu des juifs) et, surtout, sa divine personne ne pouvait se comparer à l'auguste empereur. Ses disciples payèrent de leur vie cette nouveauté : un homme-dieu incomparable. Si sainte Blandine avait été prêtresse de Cybèle, elle aurait été une Lyonnaise comme les autres, mais en tant qu'esclave chrétienne, elle fut égorgée.

Saint Paul avait pourtant enjoint aux chrétiens l'obéissance à l'empereur : « Que toute âme soit soumise aux autorités exerçant le pouvoir, car il n'y a d'autorité que par Dieu et celles qui existent sont établies par lui » (Romains 13, 1). Or, Auguste reçoit son pouvoir non de Dieu mais des dieux et fait l'objet d'un culte dont aucun roi juif, même David ou Salomon, n'avait jamais bénéficié. Il ne s'agit pas seulement d'une monarchie de droit divin : le monarque romain est un roi divinisé, le sauveur de l'empire, comme Jésus est le Sauveur du monde.

Parfois le culte d'Auguste a une prétention à l'universel : l'empereur est le « sauveur du genre humain » (son pouvoir n'a plus de frontières) et « le jour de sa naissance a été pour le monde le principe de la Bonne Nouvelle » (son prestige n'a plus de bornes). Et ce principe se heurte à une autre Bonne Nouvelle, l'Évangile de Jésus-Christ.

Il y a là une différence essentielle entre judaïsme et christianisme face au pouvoir impérial. Le judaïsme avait été persécuté à cause d'une rébellion nationale (la guerre des Juifs), le christianisme fut pourchassé en raison d'une religion redoutable préférant à l'empereur vénéré (plus ou moins selon les monarques) un charpentier crucifié. Les juifs n'adoraient pas un dieu engendré : le dieu de la Bible est un pur esprit. Les chrétiens adorent un Verbe fait chair, dangereux rival d'un homme divinisé.

Certes, les causes des persécutions furent nombreuses et touchent à l'ordre moral (la sévérité des mœurs dans l'Église primitive opposée au laxisme supposé des mœurs païennes) et social (la communauté sans classes des premiers chrétiens réunissant esclaves et hommes libres). Les crises économiques et démographiques, les catastrophes (l'incendie de Rome en 64 après J.-C.) et les épidémies (la peste en 167 et en 253) faisaient des chrétiens des boucs émissaires. Pour les maux de l'époque, la Ville éternelle avait ses victimes expiatoires.

Mais quand, à partir de Constantin (306-337), l'empereur devint chrétien, il adopta une politique chrétienne sur le double plan social et moral : limitation du pouvoir des maîtres sur leurs esclaves et des parents sur leurs enfants ; mesures empêchant le divorce et le concubinat ; suppression des taxes (datant d'Auguste) sur les célibataires pour favoriser la virginité.

Les empereurs chrétiens furent eux aussi divinisés. Selon le serment prêté par les soldats sous le règne de Théodose (379-395), l'empereur, « en recevant le nom d'Auguste, a droit à la fidélité due à un dieu présent et corporel ». Et, pour la date de Noël, on retient le 25 décembre, jour du *Sol invictus* (Soleil invaincu), culte incarné par l'empereur païen Aurélien (270-275), le Soleil fait homme. En somme, païen ou chrétien, l'empereur est divin et Jésus le crucifié, né dans une étable, est assimilé à un illustre monarque.

Pourquoi donc tant de martyrs et de massacres si le nouvel ordre ressemble tant à l'ancien ? La « conversion » est ici pour les croyants, comme pour les skieurs, un virage à 180 degrés qui inverse la voie sans changer l'axe. Et l'on notera enfin que la pire persécution, celle de Dioclétien, fut l'œuvre d'un centralisateur (il regroupa les provinces en douze diocèses). Civil ou religieux, le pouvoir ne se partage pas, et plus le centre est fort, plus il peut porter de coups. Un millénaire et demi plus tard, Robespierre s'en souviendra et déclenchera contre l'Église de France la Terreur jacobine.

Baptistes et anabaptistes

Les radicaux de la Réforme

Les prépositions ont souvent des significations opposées qui brouillent les mots qu'elles complètent. Le grec *ana* veut dire « en sens inverse » ou « de nouveau ». Un anabaptiste veut un nouveau baptême à l'âge adulte parce que le précédent, reçu dans une autre Église durant l'enfance, n'a pas, selon lui, une valeur suffisante. Mais cette répétition ressemble à une annulation dans la mesure où elle tend à invalider le premier baptême, tenu pour légitime par les autres Églises, surtout à une époque où beaucoup d'enfants mouraient en bas âge.

Une telle réaction ne va pas sans violences et l'anabaptisme est né des soubresauts de la Réforme, chez les protestants radicaux qui s'opposaient à Luther et dépassaient Zwingli, qui dirigeaient la guerre des Paysans (voir Luther) ou le royaume de Münster (une république communiste). Le chef de ce micro-État, Jean de Leyde, autoproclamé roi de Sion, avait assuré sa postérité et celle de ses amis en épousant seize femmes, en rendant la virginité hors la loi et la polygamie obligatoire.

Jean de Leyde finit supplicié, son cadavre hissé

au sommet de la cathédrale. La plupart de ces anabaptistes de la première génération (début du XVIe siècle) furent persécutés en Allemagne, aux Pays-Bas ou en Suisse et contraints à l'exil. « Sang des martyrs, semence d'Église », le vieil adage des premiers siècles chrétiens s'applique à ces réformés radicaux qui gagnent le Nouveau Monde. En Amérique, ils mettent un peu d'eau dans leur vin de Cène, ne sont plus ni anarchistes ni anabaptistes mais seulement baptistes. En perdant leur préposition, ils prennent position dans le monde des grandes Églises où ils comptent aujourd'hui plus de cinquante millions de fidèles sur toute la planète.

L'une des sectes les plus combattues, celle des mennonites (du nom de Menno Simons, théologien hollandais), donna naissance aux amish, ces écolobaptistes qui, pour les plus radicaux, refusent l'électricité et le téléphone, le service militaire et les activités polluantes. À s'en tenir à cette branche, le baptisme serait formé de doux rêveurs incapables de nuire et inaptes à progresser. Or, par d'autres méthodes, le baptisme est devenu l'un des rameaux les plus vivaces du christianisme. Paradoxe supplémentaire, le baptisme ne baptise ou rebaptise que les adultes et se prive donc du renfort statistique des enfants : les cinquante millions de baptistes équivalent à environ quatre-vingts millions de chrétiens d'une autre Église.

Comment expliquer un tel dynamisme ? Le baptisme a évolué du radicalisme à l'opportunisme. Aux États-Unis, il s'est fait noir parmi les

Noirs et blanc parmi les Blancs. Il est majoritaire à Harlem et domine le marché du gospel. Mais, via la Southern Baptist Convention, il est très bien implanté parmi les Américains les plus conservateurs voire les plus racistes. Durant la guerre de Sécession, il comptait dans ses rangs des esclaves et des esclavagistes. Plus récemment, le baptisme fut la religion du réactionnaire Billy Graham et du progressiste Martin Luther King, des démocrates Jimmy Carter et Bill Clinton mais aussi de nombreux républicains proches de George W. Bush. Parfaitement démocrates et foncièrement populistes, les baptistes sont divisés en nombreuses Églises dites congrégationnalistes : chaque communauté élit son pasteur et le résultat du vote n'est pas le même à Hollywood que dans le Bronx. *Vox populi, vox dei* : certaines Églises baptistes sont fondamentalistes et d'autres ont une lecture moderne de la Bible, certaines sont pacifistes et d'autres belliqueuses. Il y a des pasteurs pour les agneaux et d'autres pour les loups.

Bouddhisme

La colombe des guerriers

Un guerrier pacifiste, tel est le destin du Bouddha « historique », éduqué pour faire la guerre avant de renier l'usage de la force : « La victoire engendre la haine ; les vaincus vivent dans la douleur ; les pacifiques vivent heureux, délaissant victoire et défaite » (*Dhammapada*, 201).

Les récits légendaires de la vie du Bouddha insistent sur sa jeunesse sportive, son initiation à l'art de la guerre et sa prédilection pour le tir à l'arc, tenu d'une poigne de fer (tous les arcs se brisent dans sa main). Cette éducation, proche de celle d'un chevalier chrétien, ne l'empêcha pas de quitter, à vingt-neuf ans, ses armes, sa femme et son père (le guerrier n'a d'armes que pour défendre sa famille et ses proches) pour trouver la paix intérieure et la compassion active (la charité est l'aide au lointain et non l'amour du prochain).

Ce parcours n'est pas très éloigné de celui de certains saint-cyriens ou polytechniciens français qui, comme le Père de Foucauld, ont quitté la carrière des armes ou le service de l'État pour une vie servante et pauvre, charitable et pacifique. Mais, à la différence de la figure catholique du moine-soldat ou du missionnaire pacificateur (le

Père de Foucauld conserva toujours des relations étroites avec l'armée française), le Bouddha prôna un détachement total d'avec les forces de l'action et les ressorts de la conquête. Cet idéal de non-désir et de non-action n'est pas un néant absolu hâtant la fin du monde. Il serait plutôt un vide isolant protégeant des mauvais choix. Mais il est assez radical pour séparer la réflexion sur l'homme de la gestion des affaires et, donc, pour couper le religieux du militaire comme du politique : le bouddhisme n'a jamais eu son Richelieu ni son Mazarin, ses princes-évêques ni ses cardinaux Premiers ministres.

Religion missionnaire, le bouddhisme cherche pourtant à s'étendre. Or il n'y a guère d'extension sans résistance ni ruptures. On n'imagine pas l'expansion du christianisme sans la bénédiction ou l'absolution donnée par les Églises aux violences des colonisateurs. L'expansion de l'islam est inséparable (sauf en Extrême-Orient) de l'alliance du cimeterre et du Coran. Mais le bouddhisme n'a jamais cherché les conversions forcées ni pratiqué la chasse aux infidèles.

La notion de guerre sainte lui est étrangère, en raison de ses principes doctrinaux (l'Illumination est une expérience personnelle et non une exigence collective) et des circonstances historiques (le bouddhisme n'a jamais bénéficié du soutien d'une grande puissance expansionniste). Le rayonnement du bouddhisme doit beaucoup plus aux caravanes de marchands qu'aux colonnes de soldats et il doit à ce soutien des négociants son aptitude à l'échange des idées et à l'emprunt des valeurs (d'autrui).

L'un des rares conflits de nature religieuse à mettre au débit du bouddhisme eut pour auteur, en 1057, le roi birman Anawrahta : cet ancien moine monté sur le trône fit la guerre au prince de Thaton (ville du sud de la Birmanie) qui refusait de lui donner une copie du canon pâli (langue des textes sacrés du bouddhisme hinâyâna). À mi-chemin entre la guerre de religion et la guerre civile, on peut également citer les innombrables escarmouches entre écoles rivales du bouddhisme tibétain : leurs différences doctrinales se doublaient de rivalités régionales (chaque école est issue d'une vallée) et font songer aux conflits entre cantons suisses protestants et catholiques. Ces guérillas monastiques entre bop-bop (moines policiers) lassèrent les pays voisins (Mongolie et Chine) qui privilégièrent (à partir du XVIe siècle) l'école des gelugpa (vertueux) en désignant son chef (le dalaï lama) comme souverain temporel, unificateur du Tibet.

Le conflit sri-lankais entre Tamouls hindouistes et Cinghalais bouddhistes comporte aussi une double dimension, régionale (les Tamouls sont concentrés dans le nord et l'est du pays) et doctrinale. Face au séparatisme tamoul, les moines bouddhistes manifestèrent une grande intransigeance non dépourvue d'ethnicisme voire de racisme (les Tamouls sont d'origine dravidienne et les Cinghalais d'origine indo-européenne). En 1959, le Premier ministre, M. Bandaranaïka, fut assassiné par un moine en raison de sa politique tolérante à l'égard de la minorité tamoule. À la même époque, des religieux bouddhistes poussaient à l'assassinat de militants marxistes en déclarant qu'il n'était « pas plus grave de supprimer un communiste que de tuer un poisson pour l'offrir aux moines ».

Les autres guerres asiatiques n'ont pas eu de causes principalement religieuses même si la religion a pu exacerber des tensions nationalistes. Le militarisme nippon s'est appuyé sur certaines tendances du bouddhisme (notamment le zen) et le patriotisme de l'école nichiren (du nom d'un moine du XIIIe siècle) a pu revêtir des traits xénophobes en prônant l'édification d'un royaume du Bouddha rayonnant depuis le Japon sur le reste de la terre. Mais le bouddhisme japonais n'a jamais sérieusement cherché à conquérir toutes les âmes asiatiques, d'autant que les innombrables différences doctrinales, nationales et linguistiques du bouddhisme asiatique rendent vaine une tentative d'unification par la force.

Mais comme toute religion, le bouddhisme a ses fanatiques. L'un des exemples les plus pittoresques et sanguinaires fut Wu Zetian, favorite de l'empereur Gaozong (649-683 après J.-C.). Devenue impératrice après avoir fait massacrer de nombreux membres de la famille impériale, elle prit le titre d'empereur du Saint-Esprit et se considéra comme une réincarnation de Maitreya, le Bouddha du Futur. Elle n'eut pourtant aucun avenir puisque sa dynastie disparut avec elle en

705. Il était absurde de vouloir être un Bouddha dans un palais alors que, précisément, le bouddhisme est né quand le Bouddha « historique » quitta son « palais » pour méditer sur la condition du commun des mortels.

Calvin

Le dictature de l'instruction

Peut-on réformer la Réforme sans précipiter la Révolution ? Tel fut le problème de Calvin qui voulut aller au-delà de Luther et en deçà de Zwingli ou de Servet, les ultras de la Réformation.

Luther avait contesté le pape mais conservé les évêques, supprimé le sacerdoce mais gardé l'eucharistie. Calvin refusa la hiérarchie épiscopale et le sacrifice eucharistique (la Cène ne serait, selon lui, qu'un symbole) et son Église fut dite « réformée » comme si cette seconde réforme était la première. Aujourd'hui encore, en France, on distingue les luthériens et les réformés, ceux-ci étant les disciples du juriste de Noyon et pasteur de Genève (1509-1564).

Comme Robespierre était le dernier rempart contre l'anarchie, Calvin fut l'ultime défense contre l'athéisme. Et tous les deux durent imposer un régime de terreur car c'est en contestant le pouvoir qu'on doit punir les révoltes, en côtoyant le vide qu'a besoin de garde-fous.

Robespierre était tourné sur sa gauche par le communiste Babeuf et sa Société des Égaux. Jean Calvin était dépassé par Michel Servet, théologien espagnol qui avait publié une *Restitution du christianisme* en réponse à l'*Institution de la religion chrétienne* du légiste picard. Le premier de ces livres niait la Trinité et le second en doutait. La dubitation se vengea de la dénégation en la brûlant : le 27 octobre 1553, Servet fut conduit au bûcher.

La Réforme pouvait-elle faire l'économie de cette violence ? Calvin avait fort bien vu que la Bible ignore la Trinité : on l'avait même accusé d'être arien et de nier la divinité du Christ. Mais l'homme de loi voulait l'ordre et il savait qu'un demi-millénaire de désordres avait suivi les grandes controverses trinitaires des querelles byzantines. Il décida donc de garder le Credo de Nicée et, malgré les réserves de nombreux théologiens, la Réforme maintint la croyance de l'Un en Trois. Le tort de Servet fut d'exprimer les réticences de ses collègues : le pasteur a dit la vérité, il doit être exécuté.

Les Genevois furent donc enclins à la prudence dans leur cité théocratique. La danse, les jeux et le cabaret furent punis de prison ; la tonsure d'un prêtre ou la vente d'un calice valaient pendaison. Comme dans le Pékin de Mao ou le Moscou de

Staline, chaque quartier de la ville eut ses surveillants et l'on dénonça parents et amis à la police. Les méthodes de l'Inquisition furent imitées et quiconque posait trop de questions était soumis à la question.

La formation juridique de Calvin le poussait à privilégier les définitions (dogmatiques) et les institutions (ecclésiales). Il publia des ordonnances ecclésiastiques qui réglementèrent la vie de l'âme et interdirent de s'endormir durant les sermons. L'ayatollah du lac Léman ressemblait beaucoup à ces légistes maudits par Jésus pour charger le peuple de lourds fardeaux, même si ce savant honnête et scrupuleux conformait sa vie personnelle à ses propres lois.

Dans l'intransigeance doctrinale de ses opinions nuancées, Calvin promulgua l'interdit de penser et la faculté de savoir. Car il eut l'immense mérite, trois siècles et demi avant Jules Ferry, d'instituer à Genève, dès 1536, la première école primaire gratuite et obligatoire. De plus, l'usage protestant de publier des professions de foi et de sans cesse reformuler le Credo donna aux pasteurs l'habitude de raisonner : l'agilité de l'esprit vint du dogme obligatoire.

Et c'est en partie grâce à ce pape des réformés, en sa cathédrale Saint-Pierre, que les gens du peuple prirent goût à la lecture (de la Bible) et que les fils de paysans entreprirent des études. Dans les cantons protestants des Cévennes (religieusement très tolérants), les résultats au baccalauréat furent longtemps meilleurs que dans les cantons catholiques : le catéchisme de Calvin est le bréviaire du succès.

Cathares

Des purs très métissés

On les disait « purs » (en grec *katharoi*) ou « parfaits ». Mais ils ne l'étaient pas tous. Comme les gnostiques de l'Église primitive ou les druzes issus du chiisme, les cathares pratiquaient une religion ésotérique pour une minorité et exotérique pour la majorité.

À cette minorité de purs ou de parfaits étaient réservés l'initiation aux mystères divins par le sacrement de la consolation (*consolamentum*) et l'accès à l'éternité par le secours de l'Esprit. Ces initiés vivaient pauvrement et chastement, sans biens ni femmes. Comme les jaïns de l'Inde, ils ne devaient rien consommer d'un animal et pouvaient tuer en eux la bête humaine jusqu'au jeûne illimité.

Comme les druzes, les jaïns, les sikhs, les hindous ou les bouddhistes, les cathares croyaient en une spirale de réincarnations. Comme les manichéens et les zoroastriens, ils étaient profondément dualistes : le dieu du bien aurait créé le monde invisible de l'Esprit et le dieu du mal le monde visible de la matière. Ces doctrines indiennes et iraniennes étaient peut-être parvenues aux cathares via les pauliciens de Macédoine et les bogomiles de Bulgarie. Les croyances des « purs » étaient faites de mélanges et ces syncrétismes exotiques effrayaient l'orthodoxie occidentale.

Pourtant, les cathares non parfaits, sympathisants de la secte par dégoût de l'Église, n'avaient rien d'effrayant. Scandalisés par la corruption du clergé, ils voulaient simplement réformer la religion tout en menant une vie normale. Ces laïcs n'avaient d'autre obligation que de refuser les serments et le port des armes. Mais ces exigences les rendaient suspects auprès des tribunaux de l'Église et des armées du roi, du droit régulier et du bras séculier. Contre les cathares fut créée la « sainte Inquisition » confiée à l'ordre des dominicains. Ces « purs » devinrent les victimes symboliques du trône et de l'autel, et, en tant que Méridionaux (« Albigeois »), les martyrs occitans d'un pouvoir nordique. La lutte du comte de Toulouse contre Simon de Montfort (l'Amaury) illustre et caricature la coupure en deux d'une France toulousaine ou parisienne.

L'histoire et la géographie invitent à plus de prudence dans l'interprétation des événements. Avant de déchaîner, à partir de 1208, les horreurs des batailles et des tortures, les pouvoirs, royal et pontifical firent preuve d'attentisme durant un demi-siècle : les cathares dénonçaient les abus que l'Église déplorait et les clercs qu'elle subissait. Leur influence ne se limitait pas à la France du Midi : elle s'étendait aussi en Italie (comme celle des vaudois), en Catalogne, en Champagne et en Bourgogne. Inversement, des catholiques restaient fidèles au pape au sud de la Loire, notamment à Narbonne, Nîmes et Montpellier. L'image fausse d'un catharisme exclusivement méridional doit beaucoup aux châteaux forts pyrénéens, favorisant une confusion entre « Albigeois » et Ariégeois. La croisade contre les Albigeois eut bien lieu entre Rhône et Garonne mais les idées des cathares rayonnaient dans toute l'Europe.

Ces idées, à la différence de celles des vaudois, ne furent pas reprises par la Réforme. Celle-ci était trop occidentale pour incorporer des croyances indiennes ou iraniennes, trop centrée sur le Christ pour faire de Lucifer une divinité et trop méfiante sur la nature humaine pour engendrer des « parfaits ». Les cathares n'ont donc pas fait école dans l'histoire européenne. Mais l'actuelle attirance des Occidentaux pour la réincarnation ou le végétalisme assure une postérité à certains aspects du catharisme désormais coupés du christianisme. Car, à la différence du Moyen Âge, le monde moderne permet le pluralisme religieux et admet qu'il y ait hors de l'Église un salut.

Charlemagne

Les crimes d'un « saint »

Carolus Magnus, alias Karl der Grosse ou Charlemagne, aimait guerroyer : cinquante-cinq guerres en quarante-cinq années de règne. Louis le Grand affronta souvent les protestants et Charles le Grand les « païens ». Doit-on voir dans ces conflits des guerres saintes ou des pillages ? Comme Louis XIV ravageant le Palatinat, Charlemagne mit à sac le pays des Saxons dont il fit massacrer cinq mille soldats. Les survivants furent convertis de gré ou de force. Aux uns la hache du bourreau, aux autres la grâce du baptême.

L'empereur n'était pas un saint même si l'école laïque fêtait naguère la « Charlemagne », patron des écoliers qui, selon France Gall, eut « cette idée folle d'inventer l'école ». L'empereur illettré aida l'institution scolaire et le monarque polygame soutint le trône pontifical. Quand Léon III fut passé à tabac un jour de processions (25 avril 799), le saint pontife fit de la corde lisse pour s'échapper de sa prison et courir vers Charlemagne. Celui-ci lui donna une escorte pour rentrer dans ses palais.

Le pape était vicaire du Christ et l'empereur

« surveillant des évêques ». Ce pléonasme (« évêque », du grec *épiskopos*, signifie « surveillant ») était justifié puisque Charlemagne nommait les titulaires des évêchés et des abbayes comme un chef de gouvernement contrôle les préfectures et les rectorats. La confusion du spirituel et du temporel était à son comble : Charlemagne surveillait l'Église dans l'Empire d'Occident (en contrepartie, il rendait obligatoire le versement par ses sujets de la dîme), et Léon III sacrait l'empereur dont le père, Pépin le Bref, lui avait donné ses États pontificaux.

Sa mère, Berthe au grand pied, l'avait conçu hors mariage et lui-même eut au moins quatre épouses et douze concubines tout en éprouvant le plus vif intérêt pour le mystère de la sainte Trinité. Malgré les résistances du pape, il imposa dans le Credo la mention du *filioque* : l'Esprit procède du Père et du Fils et non du Père par le Fils comme l'affirment les Orientaux. Cette formule, reprise du concile de Tolède (589), est elle-même inspirée de la version latine des actes du Ier concile de Constantinople (381).

Cet ajout sera l'une des causes du schisme entre Rome et Byzance (1054) et le pouvoir de la capitale de l'Orient fut vivement contesté par Charlemagne, notamment lorsque le culte des images (ou des icônes) fut rétabli par le IIe concile de Nicée (787) malgré les « répréhensions » de l'empereur d'Occident. Mais Charlemagne eut, à la différence des croisés, la sagesse de ne jamais croiser le fer avec Constantinople. Il préféra une polémique verbale à l'égard de cette lointaine capitale dont l'impératrice Irène avait demandé sa main après avoir fait crever les yeux de son fils Constantin et avant d'être canonisée par l'Église orthodoxe. Il n'y eut donc jamais d'union entre « saint » Charlemagne et « sainte » Irène.

La violence de Charles fut réservée aux croyants d'Occident et la peine de mort promise à qui refuserait le baptême, le jeûne du Carême ou le maigre du Vendredi. C'était la *charia* chez les chrétiens en ces temps où la séparation entre religion et État n'existait pas. D'ailleurs Charlemagne obtint du calife de Bagdad Haroun al-Rachid (766-809) la protection des Lieux saints de Palestine, protection confirmée (et étendue à de nouveaux bâtiments) mille ans plus tard par des firmans de l'Empire ottoman. C'est ainsi que la France est encore officiellement propriétaire de couvents et de monastères (église Sainte-Anne à Jérusalem, église des Croisés à Abu Gosh, etc.). La république laïque n'a jamais renié l'héritage chrétien de « saint » Charlemagne.

Chiites

Les liens du sang

Existe-t-il un seul schisme sans guerre ? La réponse est oui : un seul grand schisme ne fut ni la cause ni la conséquence d'un conflit armé, celui du bouddhisme mâhayâna (Grand Véhicule) et du theravâda (Doctrine des Anciens) intervenu vers le IIIe siècle avant J.-C. Mais toutes les autres ruptures majeures au sein d'une même religion furent sanglantes. La Réforme protestante du XVIe siècle produisit les « guerres de religion », selon la formule de nos vieux manuels qui réduisaient l'histoire du monde à celle de l'Europe de l'Ouest. La séparation entre Rome et Byzance aboutit au pillage de Constantinople par les croisés (1204 après J.-C.). Curieusement, les Occidentaux considéraient les Byzantins comme des schismatiques et les appelèrent tardivement (à partir du XIXe siècle) des « orthodoxes ».

Le schisme le plus brutal, dans l'histoire des grandes religions, fut celui des chiites ou « partisans » d'Ali, cousin, gendre et fils adoptif (selon certaines sources chiites) de Mohammed. Ali combattait les califes, ces « successeurs » de Mohammed, « lieutenants » du Prophète comme Louis XIV était lieutenant de Dieu sur terre, selon Bossuet.

Mais comment séparer le temporel du spirituel et les intérêts familiaux des exigences ecclésiales ? Le premier calife, Abou Bakr, était l'ami fidèle mais aussi le beau-père du Prophète qui avait épousé sa (très) jeune fille, Aïcha. Abou Bakr transmit le califat à Omar, autre beau-père de Mohammed, époux de sa fille Hafsa. Par le biais du mariage, la succession se fait en sens inverse, les beaux-parents font la loi, les vieux dirigent les jeunes.

Celui qui a donné sa fille en retire des dividendes : il a offert de la jouissance, il retrouve du pouvoir. Mais celui qui a dépensé du plaisir au lieu d'investir dans la durée paiera le prix de sa luxure. Le successeur d'Omar est Othman, beau garçon ayant épousé, successivement, deux filles de Mohammed : au lieu de donner une femme au Prophète, il lui prend deux filles. Au lieu de négocier un beau mariage, il veut vivre deux unions. La passion consume les forces et consomme l'argent. Malheur à la cigale Othman, honneur aux fourmis Abou Bakr et Omar.

Il serait injuste d'accabler Othman, accusé de favoriser sa famille dans la distribution du butin de la conquête. Car il entreprit l'unification des versions coraniques en ordonnant la recension officielle de la Révélation. Mais Othman eut de nombreux ennemis, notamment Ali, l'époux de Fatima, l'une des filles du Prophète. Othman (qui n'appartenait pas au clan hachémite de Mohammed) fut tué en 656 par un des frères d'Aïcha, l'épouse favorite du Prophète, qui n'était pas pour autant une partisane d'Ali.

L'islam s'est donc divisé sur des problèmes de succession et non, comme le christianisme, sur des querelles dogmatiques ou, comme le bouddhisme, sur des questions de discipline (monastique). Si Jésus avait eu des enfants et Bouddha des petits-enfants (son fils unique, Râhula, se fit moine), leurs successeurs auraient probablement eu des différends familiaux. Mais le Christ et l'Éveillé (ou, du moins, leurs disciples) décidèrent logiquement d'instituer des clergés célibataires pour éviter les clergés héréditaires. Refusant cette logique, l'islam, religion dite sans clergé (le pouvoir des imams sunnites n'est pas surnaturel), est progressivement devenu la religion de l'hérédité : il n'y a pas de plus grand titre de gloire que d'être « descendant du Prophète ».

Les descendants vont s'entretuer. L'assassinat d'Othman appelait à la vengeance que son successeur, Ali, refusa d'exercer. Il fut donc accusé de complicité avec les meurtriers par les membres du clan d'Othman, celui des Omeyya, à l'origine de la dynastie des Omeyyades. L'affrontement eut lieu en 656, au sud de la Mésopotamie, près de Bassorah, lors de la bataille du Chameau, ainsi nommée en mémoire de l'animal qu'aurait monté Aïcha, la « mère des croyants ».

Ali en sortit vainqueur mais il dut affronter l'année suivante l'armée de Mouawiya, gouverneur de Damas et chef du clan des Omeyyades. Selon la tradition, celui-ci était au bord de la défaite lorsqu'il fit mettre des corans au bout des lances de ses soldats. N'osant combattre le Livre saint, l'armée d'Ali aurait été vaincue et son chef contraint à un arbitrage. Certains de ses partisans les plus décidés, les kharidjites, refusèrent ce compromis déloyal et devinrent des « dissidents » avant de partir fonder d'importantes communautés, notamment en Arabie (sultanat d'Oman) et en Algérie (vallée du Mzab, classée au patrimoine mondial par l'Unesco).

La troisième bataille eut lieu à l'intérieur du camp d'Ali, entre ses partisans fidèles et les kharidjites. À Nahrawan, près d'Alep (Syrie du Nord), Ali remporta la victoire (658), mais trois ans plus tard, il périt assassiné par un kharidjite, à Nadjaf (Irak). Le califat passa pour quelques mois au fils aîné d'Ali, Hassan, mais revint ensuite à Mouawiya. Celui-ci fit remplacer l'élection par l'hérédité et transmit le califat à ses descendants de la dynastie omeyyade. La fin du système électif fut, pour l'islam, une régression dont les conséquences se font encore sentir aujourd'hui : les liens du sang l'emportent souvent sur le mérite.

Le chiisme privilégia aussi la famille. Ses membres reconnurent pour chef le deuxième fils d'Ali, Hussein qui, contrairement à son frère Hassan, refusa les compromis voués à l'échec, et engagea le combat à Kerbala (680) contre l'armée omeyyade. Il y trouva la défaite et la mort. Le chiisme y gagna une deuxième Ville sainte (après Nadjaf) et un deuxième martyr (après Ali). Ces événements se déroulèrent en Irak, véritable Terre sainte du chiisme, et non en Iran, pays tardivement converti au chiisme, au début du XVIe siècle : la rivalité du clan nomade des Moutons noirs (chiites) et de celui des Moutons blancs (sunnites) fut tranchée par la défaite de ceux-ci contre les Bonnets rouges (chiites) dont le chef proclamé shah d'Iran fit du chiisme une religion d'État (en 1601).

Les Bonnets rouges iraniens appliquaient le principe « telle région, telle religion », un peu comme les Bonnets rouges tibétains, ces moines bouddhistes qui faisaient triompher leur école (y compris par les armes) dans certaines vallées alors que les Bonnets jaunes (les gelugpa ou « vertueux » dirigés par le dalaï lama) dominaient dans d'autres zones. Mais les islamistes iraniens conçurent la région à l'échelle de la nation et tout l'Iran devint chiite, tandis que les bouddhistes himalayens gardaient une vision plus locale de la région et que le Tibet demeure divisé en quatre écoles monastiques. Les chiites irakiens durent aussi, bon gré mal gré, accepter cette division, et le chiisme, bien que majoritaire en Irak, n'y fut jamais la religion nationale. Les actuelles tensions politiques dans ce pays doivent beaucoup aux vieux affrontements entre Ali et les Omeyyades de Damas. Le gouvernement syrien est d'ailleurs fort inquiet du renouveau chiite dans la patrie des martyrs.

Chine

Des Sourcils rouges au Lotus blanc

Sourcils rouges, Turbans jaunes, Lotus blanc, Paix céleste, Poings vertueux, Roue de la Loi : six noms parmi d'autres de révoltes mystico-politiques en Chine. Pour répondre à la violence du pouvoir, elles semèrent la discorde en milieu paysan, notamment dans le grenier à riz de la province de Shandong (là où le sage Confucius avait en vain essayé de réformer le royaume de Lu). Puis elles essaimèrent dans le peuple des mécontents, profitant des crues dévastatrices ou des sécheresses catastrophiques. Enfin, elles furent fauchées par la répression impériale et la religion ritualiste avant de renaître récemment dans la Chine communiste.

En 17 après J.-C., les Sourcils rouges ou *Chimei* (ainsi nommés car ils se peignaient le visage pour se donner l'apparence de démons) firent alliance avec la noblesse impériale de la dynastie des Han, écartée du pouvoir par l'éphémère dynastie des Xin. Les Sourcils rouges étaient d'inspiration taoïste comme les Turbans jaunes (*Huangjin*) qui, eux, vinrent à bout de la dynastie des Han. Les Turbans jaunes se réclamaient du tao (la Voie) de la Grande Paix mais faisaient la guerre pour obtenir l'égalité sociale. Comme beaucoup de sectes égalitaristes (y compris le christianisme en ses débuts), ils fondaient leur action redistributrice sur la commune faiblesse morale des humains. La rémission des péchés s'obtenait par l'abstinence et les bonnes œuvres (comme dans le catholicisme), et les malades, pour être guéris, devaient rédiger une confession en trois exemplaires, destinés aux génies des Cieux, de la Terre et des Eaux.

Comme beaucoup de religions nées d'aspirations populaires, le taoïsme gagna les milieux dirigeants et se fit l'auxiliaire du pouvoir impérial par l'intermédiaire des ministres célestes qui contrôlaient, sanctionnaient ou approuvaient l'action des ministres terrestres. Au lieu de se révolter contre l'empereur, il suffisait de faire révoquer un ministre jugé coupable de mauvaises récoltes ou de défaites militaires.

Devenu religion officielle, le taoïsme perdait le caractère subversif de son antique anarchisme. Mais les révoltes populaires purent trouver des alliés surnaturels dans d'autres religions. Déjà, le chef des Turbans jaunes (Tchang Kiue) guérissait les malades en les aspergeant d'eau bénite, par un rituel qui évoque le catholicisme. L'action violente des sectes s'inspira aussi des techniques de combat qui, tel le kung-fu, avaient été mises au point par des moines bouddhistes. À partir du XIIe siècle, la Société du Lotus blanc apparut comme un mouvement messianique et subversif dont la principale révolte, en 1776, ne fut matée qu'après une vingtaine d'années de répression. Un hommage posthume lui fut rendu par Hergé dans son célèbre album du *Lotus bleu*.

Vers 1850, le mouvement des Taiping (Paix céleste), renouant avec l'idéologie égalitariste des Turbans jaunes (enrichie par quelques influences occidentales), affirmait : « Le grain des paysans, les objets des artisans, les capitaux des marchands, tout cela appartient au Père du Ciel, tout cela doit être remis au trésor (de la secte). » Il faudra quinze ans à l'empereur pour venir à bout par une sanglante répression d'une secte influencée par les missionnaires chrétiens mais dont le régime communautaire annonce aussi l'idéal maoïste. Les Taiping interdisaient le tabac, l'alcool, les pieds bandés des femmes, l'abandon des petites filles et les mariages forcés. Ils refusaient toute ségrégation des sexes et décidèrent le mariage obligatoire par tirage au sort des célibataires de quinze à quarante-neuf ans. Le chef des Taiping, Hong Xiuquan, se disait le deuxième fils de Jéhovah et le jeune frère de Jésus tout en se proclamant « roi céleste », comme les quatre « gardiens du monde » du bouddhisme chinois.

À l'inverse des Taiping, les Boxers (Poings vertueux) refusèrent toute influence occidentale et, en 1900, ils massacrèrent les missions étrangères puis firent le siège des ambassades. Ils furent vaincus par un corps expéditionnaire international et le gouvernement impérial, qui avait d'abord encouragé ce mouvement xénophobe, fut affaibli par la victoire des armées étrangères.

Les Boxers peuvent être considérés, idéologiquement, comme une résurgence du Lotus blanc et comme la quintessence d'un nationalisme chinois ombrageux et orgueilleux.

Le *Fa Lun Gong* (Roue de la Loi), fondé en 1992, est aussi une sorte de syncrétisme patriotique mêlant habilement bouddhisme et taoïsme : si la roue du Dharma est incontestablement bouddhique, elle est ici transformée en un mouvement circulaire (situé dans l'abdomen) aspirant les bonnes énergies et refoulant les mauvaises grâce à une gymnastique ressemblant au tai-chi, d'inspiration taoïque. Cette secte, d'apparence non violente, est redoutée du gouvernement pour des motifs historiques : depuis deux mille ans, le retour périodique des révoltes mystiques annonce des changements politiques majeurs. Et un régime officiellement athée a du mal à comprendre la dimension surnaturelle des exercices abdominaux.

Comme nous avons du mal à comprendre la transformation perverse d'une mystique de groupe en crime organisé. Pourtant, la plus ancienne triade connue fut bien celle des Sourcils rouges. De même, la triade des Trois Harmonies joua un rôle important dans le renversement de la dynastie mandchoue des Qing (1912). Et les « triades » criminelles d'aujourd'hui sont de lointaines et indignes descendantes des confréries religieuses d'autrefois.

Clovis

Un barbare orthodoxe

Les « religions du Livre » doivent beaucoup aux illettrés. De Mahomet à Clovis, nombreux furent-ils à combattre pour la foi sans savoir lire.

Clodovech ou, en vieux francique, Hludovicus (doublet de Louis), alias Clovis, était un roi franc et germain puisque les Francs sont des Germains. Il était aussi païen et adorait notamment Wotan (Odin), le dieu borgne de la guerre et de la victoire. Mais à Tolbiac (vers 496 après J.-C.), Clovis était proche de la défaite face aux Alamans quand il appela au secours Jésus-Christ, le dieu de son épouse, la future sainte Clotilde. Le sort des armes lui fut favorable et, comme Constantin à la bataille de Pont-Milvius, Clovis se convertit avec trois mille de ses soldats. « On marche au baptême comme à la bataille, derrière le chef », constatait justement Daniel-Rops.

Le baptême de Clovis (vers 496 ou 499) par saint Rémi n'est pas seulement un événement majeur de l'histoire de France. C'est un tournant décisif de la religion chrétienne face au paganisme et à l'arianisme : c'est le crépuscule des dieux germaniques et de la foi hérétique.

La plupart des Germains avaient rejoint le courant de pensée du prêtre égyptien Arius (vers 280-336 après J.-C.), importé par Ulfilas (« Petit Loup »), évêque goth venu de Cappadoce. Logiquement, Clovis aurait dû être baptisé (comme Constantin) par un évêque arien et renforcer ainsi l'hérésie. Sa conversion au christianisme « orthodoxe », alors minoritaire en Europe, provoqua l'effondrement de l'arianisme et rétablit, pour quatre siècles (jusqu'au schisme de Byzance en 1054), l'unité de l'Église.

Nul ne sait pourquoi Clovis préféra le Credo du concile de Nicée, le camp des homoousiens (le Père et le Fils ont une nature identique) à celui des ariens divisés en homoïousiens (nature semblable mais non identique), homéens (similitude non substantielle) et anoméens (différence radicale entre le Père et le Fils). Le roi germanique n'entendait sans doute rien à ces querelles byzantines et saint Rémi aurait perdu son latin dans ces disputes en grec. L'évêque aurait, paraît-il, dit au jeune roi : « Courbe-toi, fier Sicambre, adore ce que tu as brûlé, brûle ce que tu as adoré. » Cette inversion des valeurs est, une fois de plus, ce changement de sens à 180 degrés que les skieurs nomment conversion.

Bientôt, les peuples barbares furent influencés par la décision de Clovis : Burgondes (en 516) et Suèves (vers 560) rejoignirent la foi de Nicée. Les récalcitrants y furent contraints par les armes : les défaites des Wisigoths à Vouillé (507) et à Narbonne (530) furent autant de victoires pour le camp des orthodoxes.

Le dogme est une cuirasse et le doute une fêlure. Telle est la leçon stratégique des conflits de croyances. La victoire des forts sur les faibles est cruelle : comme Constantin, Clovis rejoignit la « vraie » foi après avoir éliminé tous ses rivaux politiques, signant dans le sang l'alliance du trône et de l'autel.

Ces violences seront bien oubliées lorsqu'en 1896, pour le quatorzième centenaire du baptême de Clovis, le cardinal Langénieux, archevêque de Reims, déclara à propos de la France : « Cette noble nation devait mériter, par sa fidélité et ses éminents bienfaits, d'être appelée la fille aînée de l'Église. » La patrie de Clovis était alors le premier pays catholique du monde. Elle n'est plus, en nombre de baptisés, que le sixième, derrière le Brésil, le Mexique, les Philippines, les États-Unis et l'Italie. La France est donc une fille cadette de l'Église.

Constantin

Une seule foi pour un seul roi

C'est, probablement, le premier empereur chrétien de l'Histoire. Il convertit l'Empire romain au christianisme, fit tuer sa femme Fausta et son fils Crispus, puis reçut le baptême sur son lit de mort, d'un évêque hérétique. N'ayant plus la force de pécher, il gagnait ainsi le paradis par la grâce du sacrement et le pardon in extremis. Ayant poussé tous ses rivaux au suicide, l'astucieux monarque rendit son âme au Saint-Esprit, le jour de la Pentecôte (338 après J.-C.)

Son père, Constance Chlore, César (vice-roi) puis Auguste (empereur) d'Occident, avait fait bâtir la ville de Constance (Allemagne), et son nom grec (*Chlôros*) est celui d'une couleur mêlant le vert (des jeunes pousses) au jaune (du miel ou du blé). Constantin fit bâtir la ville de Constantine (Algérie) et habita Constantinople.

Il vainquit des Barbares, francs et alamans, captura deux rois germains qu'il fit livrer aux bêtes. Il déjoua une tentative d'assassinat de son beau-père, Maximien, en faisant coucher dans son lit un malheureux eunuque qui reçut le glaive à sa place. Mais le fils de Maximien, Maxence, leva une armée contre Constantin : elle fut battue le 28 octobre 312 à la bataille de Pont-Milvius. Constantin se trouvait seul à la tête de l'Empire d'Occident et la tête de Maxence fut promenée dans Rome au bout d'une pique.

Le sort des armes dépend de Dieu. Les oracles païens auraient mal conseillé Maxence qui resta confiné dans les murailles avant de changer de stratégie pour sortir trop tard. Le dieu des chrétiens serait apparu à Constantin mais il existe au moins deux versions de cette apparition : selon celle de Lactance, précepteur de Crispus, l'empereur aurait reçu l'ordre d'inscrire sur le bouclier de ses soldats les lettres grecques X et R symbolisant le Christ ; selon la version d'Eusèbe, évêque de Césarée, Constantin aurait vu sur le champ de bataille une croix avec cette inscription (en latin) : « Par ce signe, tu vaincras ». Le fait de savoir si Dieu écrivait en latin ou en grec n'est toujours pas tranché.

En 313, Constantin fit publier l'édit de Milan qui, accentuant les facilités offertes, en 311, par l'édit de Galère, accordait la liberté de culte aux chrétiens d'État. Il reprenait ainsi (peut-être sans le savoir) la politique d'ouverture prudente au bouddhisme de l'empereur indien Ashoka (IIIe siècle avant J.-C.). Il est donc inexact de parler de l'Église constantinienne comme d'une institution officielle. Le christianisme d'État ne date que de l'empereur Théodose (379-395).

Constantin était jacobin avant l'heure. Il centralisa l'Empire et tenta d'unifier le culte : une seule foi pour une seule loi. Comme Ashoka essayant de réconcilier les moines des diverses écoles bouddhistes, Constantin prôna l'unité du christianisme et convoqua les évêques au concile de Nicée (325). Celui-ci proclama que le Père et le Fils étaient de nature identique (*homoousios*) et pas seulement de nature semblable (*homoïousios*) comme l'affirmaient les disciples d'Arius, prêtre d'Alexandrie, qui niaient la nature pleinement divine du Christ. Pour un iota, l'Église et l'Empire s'étaient divisés, illustrant tragiquement la prophétie du Christ selon laquelle pas un iota de la Loi ne passerait. Constantin crut mettre un terme à cette division par une formule qui demeure celle du Credo.

Comme le Credo, le crédit fut unifié par la création d'une monnaie forte, le *solidus*, ancêtre du sou. Pour conforter son pouvoir, Constantin fit encore étrangler son beau-frère Licinius juste avant que les Pères conciliaires ne dissertent sur la substance du Père et l'essence du Fils. À l'entrée des Dardanelles, la flotte de Licinius avait été battue. À la sortie du détroit, la cause de Jésus-Christ était débattue. Telle est l'histoire de ce concile de Nicée, ville d'Asie Mineure dont le nom (comme celui de Nice) signifie « victoire ». Il n'y a jamais loin entre les canons de la guerre et ceux de la foi.

Pendant ces temps troubles, Hélène, mère de Constantin, voulut expier les fautes de son fils. Elle partit en pèlerinage vers la Terre sainte où on lui attribue l'« invention » (découverte) de la vraie croix du Christ et la construction de basiliques à Bethléem et au Saint-Sépulcre. Sept siècles plus tard, des chrétiens voulurent restaurer ses œuvres au prix de cruelles batailles : les Croisades.

Si Constantin semble trop cruel pour être le premier empereur chrétien, on peut lui substituer un autre monarque. Philippe l'Arabe (244-249), un Syrien, se serait converti secrètement selon certaines sources. Le « très doux empereur Philippe », selon la formule de saint Denys d'Alexandrie, accéda au trône en faisant assassiner son prédécesseur, Gordien III dit le Pieux. Nul n'échappe aux mœurs de son temps et au triomphe de la raison d'État sur la pitié de Dieu.

Crimée

Une clé des Lieux saints

Un conflit profane pour des Lieux saints, tel est le bilan de la guerre de Crimée qui opposa, en 1856, la Russie orthodoxe à la France catholique, à l'Angleterre protestante et à la Turquie musulmane.

En ce temps-là, chaque grande puissance voulait protéger « ses » chrétiens et « ses » Lieux saints. La Russie avait donc demandé au sultan Abdul Medjid de reconnaître le protectorat du tsar (Nicolas Ier) sur les orthodoxes de l'Empire ottoman. Devant le refus de la Sublime Porte, les Russes occupèrent les principautés moldo-valaques (Roumanie) et détruisirent, en 1853, une flotte turque à Sinope, en mer Noire.

Les sultans avaient pourtant beaucoup donné à la Sainte Russie. En 1774, le traité de Kaïnardji lui accordait le droit de « protéger » les orthodoxes de rite grec se rendant en pèlerinage à Jérusalem. En 1812, 1816 et 1829, par des firmans (décrets) de l'Empire ottoman, la Russie obtenait divers privilèges religieux comme la garde du Saint-Sépulcre à Jérusalem ou les clés de l'église de la Nativité à Bethléem.

Ces concessions mécontentèrent la France qui, depuis 1740, disposait d'un droit de protection sur les catholiques latins de l'Empire ottoman comme sur les lieux de pèlerinage confiés à des religieux catholiques (et parallèlement à des religieux orthodoxes). Chaque église étant affectée à plusieurs cultes et à autant de clergés, il y avait des batailles de crucifix et des combats d'encensoirs dans le chœur des basiliques.

En 1850, le prince-président Louis-Napoléon, souhaitant flatter l'opinion catholique française, demanda au sultan de faire respecter le droit des catholiques latins contre les abus du clergé grec orthodoxe. En 1852, il obtint un firman redonnant aux Latins trois clés de l'église de Bethléem ainsi que le droit de dire la messe près du « tombeau de la Vierge ». Les Russes protestèrent, obtinrent deux des trois clés et le droit de dire leur messe avant celle des Latins. Des histoires de clés volées se déroulaient aussi au Saint-Sépulcre mais les sultans contenaient cette kleptomanie en confiant la clé du grand portail à une famille... musulmane.

L'Angleterre défendait les détroits (du Bosphore) et la France les églises (de Terre sainte). Elles firent donc alliance au nom de la liberté du commerce et de la religion puis se coalisèrent avec la Turquie, rivale traditionnelle de la Russie dans la « question d'Orient ». La guerre de Crimée commençait. Elle s'acheva par la prise de Sébastopol grâce à l'assaut lancé contre le fort de Malakoff le 8 septembre 1855, en la fête de la Nativité de la Vierge, neuf mois jour pour jour après la proclamation par le pape Pie IX du dogme de l'Immaculée Conception (8 décembre 1854).

Les évêques ne manquèrent pas de souligner cette coïncidence de dates. Mgr Parisis, évêque d'Arras, de Boulogne et de Saint-Omer, déclara : « Nous sommes bien sûrs, nos très chers frères, que vous y verrez avec nous la puissante médiation de Celle qui est terrible comme une armée rangée en bataille, puisque c'est au jour de la sainte Nativité que le formidable boulevard a été dompté comme tout récemment c'est dans les fêtes de Son Assomption glorieuse que des flots de barbares ont été repoussés par une poignée de nos braves. »

Le prélat n'était ni charitable ni clairvoyant. D'abord, les « barbares » russes avaient une grande dévotion pour la Vierge et son Assomption (Dormition). Ensuite, cette référence au 15 août (en fait au 16) est une allusion à la défense victorieuse du pont de Traktir par le corps expéditionnaire piémontais. Et en échange de cette intervention de Cavour en Crimée, Napoléon III allait aider les Italiens à faire leur unité au détriment de l'Autriche et du pape.

En mars 1856, le congrès de Paris marqua la fin d'une guerre dont le grand vainqueur fut le choléra qui tua les trois quarts des cent mille soldats français décédés. La France amorça un rapprochement avec le nouveau tsar Alexandre II. En remerciement de son intervention armée, la Sublime Porte offrit à la France plusieurs beaux bâtiments en Palestine, telles l'église Sainte-Anne à Jérusalem et l'église des Croisés d'Abu Gosh, site supposé des pèlerins d'Emmaüs (Luc, 24, 13-32). C'est ainsi que la République laïque a hérité de nombreux lieux de culte en Terre sainte.

Croisades

Une Vierge pour la victoire

Les chaussures Nike, la fusée américaine Nike-Zeus, la ville de Nice, les prénoms Nicolas, Nicodème et Nicéphore portent le nom grec de la « victoire », *nikè*.

En Grèce, la victoire personnifiée s'appelait Athéna Nikè, protectrice d'Athènes. Elle avait vaincu le géant Pallas, en l'écorchant et en se faisant une cuirasse de sa peau. Quant au gigantesque Encelade, Athéna l'écrasa en lui jetant à la figure la Sicile.

Athéna était une vierge (*parthénos*) vénérée au Parthénon. Son ennemie jurée était Aphrodite, déesse de l'amour. Identifiée à la romaine

Minerve, Athéna dut à sa virginité d'inspirer certains aspects du culte de la Vierge Marie. Celle-ci devint aussi la marraine céleste des soldats, et fut vénérée sous le nom de Notre Dame des Victoires. L'église parisienne du même nom fut édifiée en 1629 par Louis XIII qui assiégeait les protestants de La Rochelle et prit la ville en ordonnant « une immense offensive d'*Ave Maria* ».

La victoire sur les infidèles, protestants ou mahométans, fut un élément essentiel du culte marial comme le montre l'histoire de la première Croisade. Ordonnée par le pape Urbain II et confirmée par le concile de Clermont, elle partit, le 15 août 1095, de la ville du Puy-en-Velay dédiée à la Vierge.

Cet ancien sanctuaire druidique, où l'on cherchait la guérison sur la « pierre des Fièvres », possédait une statue de la Vierge en majesté qui, en 1254, fut remplacée par une Vierge noire, peut-être rapportée par Saint Louis de la septième Croisade. En 1429, la mère et les frères de Jeanne d'Arc auraient demandé à la vénérable statue de cèdre la victoire du roi de France sur les Anglais. Et, en 1860, un rocher de la ville fut couronné par une immense statue de Notre Dame de France, fondue grâce aux deux cent treize canons pris aux Russes par le général Pélissier au fort de Sébastopol. L'assaut avait été donné le 8 septembre 1855, fête de la Nativité de la Vierge.

Le 15 août 1095 était la fête de son Assomption,

c'est-à-dire de son élévation glorieuse au ciel, corps et âme. Prédicateur de la première Croisade, l'évêque du Puy, Adhémar de Monteil, aurait écrit lui-même les paroles du célèbre chant marial *Salve Regina.* Les croisés de Godefroy de Bouillon le chantèrent en entrant dans Jérusalem le 15 juillet 1099 avant d'égorger des milliers de musulmans dans la Ville sainte jusqu'à l'esplanade des Mosquées.

« Salut Reine, mère de miséricorde, notre vie, notre douceur et notre espoir... Ô clémente, ô pieuse, ô douce, Vierge Marie. » Comment un hymne aussi paisible fut-il le chant du carnage ? Dans cette « vallée de larmes » qu'est la vie terrestre, Marie est présentée comme « notre avocate », intercédant auprès de Dieu pour ceux qui vont mourir. Et, comme à la guerre on tue pour ne pas être tué, demander la vie sauve, c'est infliger une mort sûre.

Les Croisades eurent certes des causes complexes : religieuses (la délivrance du Tombeau du Christ), politiques (l'unité de l'Occident chrétien), économiques (la protection des routes commerciales), etc. Elles laissèrent au Proche-Orient d'admirables témoignages architecturaux (les châteaux forts des croisés). Mais ces guerres saintes divisèrent la chrétienté (les croisés pillèrent Constantinople, la capitale byzantine, en 1204) et firent l'unité de l'islam contre le christianisme.

Aujourd'hui, les moines catholiques terminent leur journée en entonnant le *Salve Regina.* Le temps des moines-soldats est révolu et nombre de ces religieux sont d'authentiques non-violents. Mais c'est sur un ancien chant de guerre que s'endorment ces hommes de paix.

Évangile

La violence du Verbe

L'Évangile est-il non violent ? Comment les chrétiens ont-ils pu lancer des guerres saintes au nom du « doux Jésus » ? Ces questions exigent de distinguer les actes des paroles et la brutalité physique de la contrainte spirituelle. Car la Bonne Nouvelle de Jésus-Christ n'est ni pacifiste ni belliqueuse.

En actes, Jésus semble non violent car il est l'agneau immolé, celui dont le sang versé sauve les humains et épargne les animaux puisque désormais les péchés du monde sont rachetés et les sacrifices du Temple (de Jérusalem) inutiles. Parce que sa royauté est spirituelle et non temporelle, le Christ n'a pas de soldats : « Si ma royauté était de ce monde, mes gardes auraient combattu... », dit Jésus à Pilate (Jean, 18, 36). Alors que l'arche de l'ancienne Alliance accompagnait les soldats d'Israël, la coupe de la nouvelle Alliance ne sert aucune armée : le Christ a refusé de prendre les armes « car tous ceux qui prennent l'épée périront par l'épée » (Matthieu, 26, 53).

Ce mystère du Calvaire, scandale de la Croix, naît de l'amour des ennemis : « À qui te frappe sur une joue présente encore l'autre » (Luc, 6, 29). Jésus aime la vie à en mourir. « Il vaut mieux perdre la Vie que les raisons de vivre », écrivait le 5 février 1943 le résistant Robert Beck qui fut fusillé après avoir dessiné de son sang une faucille et un marteau sur le mur de sa cellule. Cet ancien petit-séminariste avait bien résumé l'histoire de la Passion.

Mais la passion peut aussi exprimer la colère et l'épisode des marchands du Temple n'est pas non violent. Selon Matthieu et Marc, Jésus renverse les tables des changeurs et les sièges des marchands de colombes et, d'après Jean (2, 15), « s'étant fait un fouet, il les chassa tous du Temple, et les brebis et les bœufs ». La révolte de Luther contre les indulgences pontificales et les taxes ecclésiastiques partira du même mouvement d'indignation.

À cet acte unique répondent des mots multiples. La violence de Jésus est surtout verbale : « Engeance de vipères » (Luc, 3, 7), dit Jésus aux foules, « Ne faites pas de violence » (Luc, 3, 14), commande-t-il au contraire aux soldats. Ce divorce entre le dire et le faire situe la puissance dans l'ordre du discours. La parabole du riche et de Lazare fait du monde à venir un univers impitoyable où l'on « souffre le supplice dans les flammes de l'enfer » (Luc, 16, 24). « Sodome sera traitée avec moins de rigueur » (Luc, 10, 12) que la ville refusant l'annonce de la Parole. « Jérusalem sera écrasée avec ses enfants » (Luc, 19, 43). Et ses grands prêtres se voient rétorquer : « Les prostituées vous précèdent dans le Royaume de Dieu » (Matthieu, 21, 31).

Apocalyptique et blasphématoire, cette violence verbale est parfois difficile à interpréter et à actualiser. À qui correspondraient aujourd'hui les grands prêtres, anciens du peuple, scribes et autres pharisiens ? Dans une société qui ne séparait pas le moral du légal, le religieux du profane, le théologique du politique, les rôles n'étaient pas définis selon nos critères modernes. Les malédictions du Christ semblent viser tous les détenteurs de richesses et de pouvoirs et leur répétition transforme ces paroles brutales en propos nihilistes.

Un seul évangile ne contient pas un mot violent, celui de Jean. « Le disciple que Jésus aimait » (Jean, 13, 23 ; 19, 26 ; 20, 2) ignorait-il la haine ? Ce mystérieux fluide amical ou amoureux serait-il l'antidote à la violence ? Cela est bien douteux ; l'amour entre deux êtres n'a jamais exclu la haine d'un troisième et, inversement, une inimitié partagée n'empêche pas de dire ni de faire du bien ; les œuvres charitables sont souvent des lieux conflictuels et l'Église primitive était pleine de dissensions.

Mais l'évangile de Jean fait du Verbe un commencement et un aboutissement, un alpha et un oméga ; sans une identité entre les mots et les actes, il n'y aurait pas de Verbe incarné. Jean est donc amené à refouler ou à censurer la dureté du discours de Jésus.

Car le message évangélique exprime, sinon de la violence, du moins une véhémence.

Exil

de Jérusalem à Babylone

« Babylone tombe, tombe, tombe, Babylone tombe et c'est pour toujours. » Le célèbre negro-spiritual fait de la capitale mésopotamienne une ville maudite, symbole de l'oppression antique des Juifs de Jérusalem et de l'esclavage moderne des Noirs d'Amérique.

« Fille de Babylone, promise au ravage
Heureux qui te traitera comme tu nous as traités
Heureux qui saisira tes nourrissons
Pour les broyer sur le roc. »

Ces versets du Psaume 136 font de la « Porte des dieux » (*Bab Ilan*) la demeure du diable promise à la vengeance. La mention du roc est peut-être une allusion à Petra, capitale des Édomites (alliés des Babyloniens) puis des Nabatéens. Dans la géographie actuelle, Babylone se trouve en Irak et Petra en Jordanie. Le premier de ces deux pays voulait détruire Jérusalem avec ses missiles sous le régime de Saddam Hussein et le second occupait Jérusalem de la création de l'État d'Israël (1948) à la guerre des Six Jours (1967).

Pourquoi tant de haine pour Babylone ? Parce que cette cité symbolise l'une des deux extrémités du Croissant fertile : la vallée du Tigre et de l'Euphrate. Sa fertilité en fit un puissant et redoutable empire comme l'autre extrémité, celle de la vallée du Nil, berceau de l'Empire égyptien. Toute la stratégie d'Israël, dans l'Antiquité comme à l'époque moderne, est dominée par la présence de ces deux puissances, l'une au nord et l'autre au sud, qu'il ne faut jamais affronter simultanément, l'une pouvant servir d'allié contre l'autre.

Aujourd'hui, Israël bénéficie d'un traité de paix signé avec l'Égypte en 1979 et peut reporter son effort militaire sur le front nord, celui de la Syrie d'El-Assad, et, voici peu, de l'Irak de Saddam Hussein. En 589 avant J.-C., le roi de Juda, Sédécias, fit alliance avec le pharaon Apriès, lui-même allié aux Phéniciens (ancêtres des Libanais), et refusa de payer tribut au roi de Babylone, Nabuchodonosor. C'était le mauvais choix : Jérusalem fut prise le 29 juillet 587 et une partie de ses habitants fut déportée sur les rives de l'Euphrate.

« Par peur des Chaldéens » (II Rois, 25, 26), certains Judéens ou Juifs (la confusion des deux noms date de cette époque) choisirent l'exode en Égypte (un exode en sens inverse de celui de Moïse) et cherchèrent refuge au pays du pharaon (comme la Sainte Famille de Jésus fuyant le roi Hérode) malgré les mises en garde du prophète Jérémie (chapitre 42) qui leur promettait l'épée, la famine et la peste. Ces Juifs, devenus mercenaires du pharaon, fondèrent des colonies, notamment à Éléphantine (près d'Assouan) où ils élevèrent un temple à Yahvé, mettant ainsi un terme au principe « un seul temple pour un seul dieu ».

L'Euphrate sourit moins aux Juifs que le Nil. L'Exil à Babylone fut un temps de nostalgie de la liberté perdue :

> « *Près des canaux de Babylone*
> *Nous étions assis, en larmes...*
> *Si je t'oublie Jérusalem*
> *Que disparaisse ma main droite* »
>
> (Psaume 136).

Mais la nostalgie retrouve ici son sens premier de « maladie du retour » (au pays). Les Juifs privés de Temple se rassemblèrent dans des salles de prière ou synagogues. Ils évoquèrent le bonheur (exagéré) d'antan, reformulèrent leur foi et leur loi pour préserver leur identité : les coutumes de la circoncision et de la nourriture casher devinrent des obligations. L'usage se mua en règle dans cette Mésopotamie qui avait vu la naissance du droit avec les fameux « codes » (dont celui du roi babylonien Hammourabi vers 1730 avant J.-C.). Certains principes (loi du talion) ou certaines peines (amputation, lapidation) de la *torah* juive (voire, plus tard, de la *charia* musulmane) doivent d'ailleurs beaucoup au droit babylonien ou assyrien. La Loi de Moïse, révélée (selon la Bible) au Sinaï, région proche de l'Égypte, doit moins au pays des pyramides (on n'a jamais retrouvé le moindre recueil de lois en Égypte) qu'à celui des ziggourats. La Torah vient de l'Exil plus que de l'Exode.

Cet Exil fut une défaite politique et une victoire religieuse. Certains Juifs perdirent pour cinquante ans leur liberté mais tous y gagnèrent une identité qui n'a pas faibli depuis deux mille cinq cents ans. Cette identité fut paradoxalement renforcée par une certaine dose de métissage culturel : le sabbat et la semaine sont issus du calendrier mésopotamien où le septième jour, néfaste, invitait à ne rien faire. Les grands récits bibliques de la Création et du Déluge s'inspirent de la littérature mésopotamienne.

En 538 avant J.-C., le roi perse Cyrus, vainqueur de Nabuchodonosor, autorisa les Juifs à rentrer en Judée et à « bâtir la Maison du Seigneur, le Dieu d'Israël » (Esdras, 1, 3), c'est-à-dire à reconstruire un petit Temple à Jérusalem. Cyrus devint le modèle du libérateur (les évêques français appelaient Napoléon le « nouveau Cyrus » pour avoir délivré la France des révolutionnaires) et Israël, à l'époque moderne, ne ménagea pas son soutien au chah d'Iran, lointain successeur du monarque bienfaisant.

Mais comme tous les Juifs n'avaient pas été exilés, tous les exilés ne rentrèrent pas au pays. Certains demeurèrent en Mésopotamie où ils rédigèrent, mille ans plus tard, le Talmud de Babylone. Cet ensemble de commentaires sur la loi orale (Michnah) devint une source des enseignements rabbiniques au même titre que le Talmud de Jérusalem (rédigé, en réalité, sur les rives du lac de Tibériade).

La Babylonie fut donc, pour le judaïsme, un lieu de déportation et de refondation. C'est au pays de la tour de Babel que les Juifs firent leur unité religieuse, et dans cette région polythéiste qu'ils professèrent un strict monothéisme, se débarrassant de leurs vestiges polythéistes (les divinités des montagnes) ou hénothéistes (la croyance en un dieu unificateur mais pas encore unique). Si un homme ou un peuple forge son caractère dans l'adversité, l'adversaire babylonien donna au judaïsme son caractère irréductible, sur cette terre mésopotamienne qui, d'après la Bible, avait vu naître Abraham.

Quant à Nabuchodonosor, il prêta son nom à une bouteille de champagne (de quinze litres) et à un opéra de Verdi dont le célèbre chœur des esclaves servit de marche triomphale aux manifestants pour l'École catholique (1984). Saddam Hussein s'identifiait à l'antique monarque et donna son nom à une division de sa garde « républicaine ». Cette confusion montre à quel point l'histoire ancienne alimente les guerres modernes.

Exode

Expulsion ou évasion ?

L'Exode est au judaïsme ce qu'est l'Hégire à l'islam : le départ d'une nouvelle ère, le début d'une nouvelle foi. Mahomet quitta La Mecque pour Médine et Moïse l'Égypte pour Canaan. En mémoire de l'Exode, les Juifs donnèrent, en 1947, le nom d'*Exodus* au bateau qui amenait en Israël les survivants du nazisme. Mais le pharaon était-il un *führer* et les « esclaves » hébreux des déportés juifs ?

La confusion entre l'Antiquité et l'actualité est d'autant plus dangereuse que l'Exode ne nous est connu que par la Bible : les textes égyptiens ne disent rien de cet épisode historique ou légendaire. On dit parfois que l'Histoire commence avec l'écriture mais elle ne devient crédible que par la dualité des sources : chaque protagoniste fournit un récit des événements et leur confrontation permet à l'historien d'en tirer une troisième version, probablement plus objective.

La bataille de Qadesh (vers 1275 avant J.-C.)

entre Ramsès II et les Hittites est historique parce qu'elle est racontée par les deux belligérants qui la transforment en victoire (ce fut sans doute un match nul). Mais la traversée de la mer Rouge (ou de la « mer des Joncs ») par les Hébreux (Exode 14) n'est attestée par aucune source égyptienne. Nul ne sait où et quand Dieu jeta à la mer « cheval et cavalier ».

Le catéchisme officiel de l'Église catholique en France (Pierres vivantes) s'ouvrait naguère par le livre de l'Exode précédant les récits de la Création du livre de la Genèse. Les auteurs avaient ainsi voulu faire de l'Exode l'événement fondateur du judéo-christianisme. Mais une deuxième édition revint à l'ordre traditionnel des livres bibliques tant il est hasardeux de donner à l'Exode une signification aussi décisive.

Les exégètes qui faisaient naguère débuter les temps historiques de la Bible à l'époque d'Abraham (XVIIIe siècle avant J.-C.) ne sont plus très sûrs qu'ils commencent à Moïse. Si l'Exode marque le début symbolique d'un renouveau spirituel, il demeure impossible de le dater et de le situer. Pas plus que la guerre de Troie ne correspond véritablement aux poèmes d'Homère, l'Exode d'Égypte n'est contenu historiquement dans les récits de Moïse (eux-mêmes émiettés dans les livres de l'Exode, du Lévitique, des Nombres et du Deutéronome). Et comme Homère l'aveugle, Moïse sauvé des eaux n'a peut-être jamais existé ou, du moins, son existence ne peut être certifiée ni précisée par les textes parvenus jusqu'à nous.

Les dates extrêmes proposées pour l'Exode (du XVIe siècle avant J.-C., époque du départ d'Égypte d'envahisseurs asiatiques, les Hyksos, auxquels auraient pu appartenir les Hébreux, jusqu'au VIIe siècle avant J.-C., sous la XXVIe dynastie) sont trop éloignées pour qu'on puisse considérer comme certaine l'identité de ses protagonistes. Moïse est un héros plus qu'un humain, un personnage plus qu'une personne.

L'Exode fut-il une expulsion ou une évasion ? Les Hébreux furent-ils des immigrés mal intégrés, chassés d'Égypte par le pharaon, ou des travailleurs maltraités ayant choisi de partir ? La Bible a interprété ce départ comme une libération. Moïse entend ces paroles : « C'est moi le Seigneur, ton Dieu, qui t'ai fait sortir du pays d'Égypte, de la maison de servitude » (Exode, 20, 2). Mais l'évasion autorise-t-elle l'invasion ? Pour avoir été esclaves en Égypte, les Hébreux devaient-ils s'approprier la terre des Cananéens ? Et pour avoir été persécutés en Europe, les juifs du XXe siècle devaient-ils s'installer sur la terre des Palestiniens ? Les questions posées par l'Exode suscitent toujours la polémique.

L'Exode fut-il un départ précipité ou une migration progressive ? La première hypothèse correspond au récit biblique fondateur de la Pâque, du « passage » (*Pessah*) vers la Terre promise. Mais la deuxième hypothèse serait plus conforme aux conditions de vie de tribus semi-nomades, en butte à l'hostilité des populations sédentaires et en quête de nouvelles terres de pâturage. Comme les Bédouins, les Hébreux auraient dû adapter sans cesse leur existence aux aléas démographiques et géographiques.

L'exégèse traditionnelle situait l'Exode vers 1450 avant J.-C. sous le règne du pharaon Aménophis II, environ un siècle avant la réforme monothéiste d'Akhénaton qui aurait donc pu être influencé par Moïse : Yahvé serait bien le premier dieu unique de la planète. Mais dans son ouvrage (discuté) *Moïse et le monothéisme*, Freud fait de Moïse un disciple du dieu solaire Aton dont le culte serait donc antérieur à Yahvé. En situant l'Exode vers le XIIIe ou le XIIe siècle avant J.-C., l'exégèse moderne rend possible cette filiation même si elle n'est prouvée par aucune découverte scientifique.

La « nouvelle archéologie » israélienne, rejoignant les doutes des égyptologues, tend même à considérer l'Exode comme une sorte d'archétype de l'Exil : sous l'oppression babylonienne, les Juifs se seraient reconstruit un passé mythique dans lequel les esclaves de la vallée du Nil préfiguraient les déportés des rives du Tigre. L'Exode serait plus symbolique qu'historique.

Il est aujourd'hui impossible d'affirmer que l'Exode fut une réalité ou une fiction. Il a trouvé une immense audience populaire grâce aux films, et aux spectacles sur les dix commandements : Hollywood a plus fait pour Moïse que tous les télévangélistes et fondamentalistes réunis.

Mais les relations israélo-égyptiennes voire israélo-arabes ont tout à gagner d'une interprétation dépassionnée des récits bibliques. En rendant le Sinaï à l'Égypte (1982), le gouvernement israélien de Menahem Begin fit preuve d'une grande lucidité : le lieu hypothétique de la Révélation devint le lieu incontestable de la réconciliation.

Les épisodes guerriers suivant l'Exode soulèvent bien des difficultés historiques. La célèbre prise de Jéricho au son du cor n'a pu se dérouler à l'époque indiquée par la Bible. Mais le récit de cette bataille contient un pittoresque épisode (Josué, 6, 17) : Rahab, la prostituée, abrite les soldats de Dieu infiltrés dans la ville et obtient la vie sauve. La généalogie de saint Matthieu (1, 5) fait de cette péripatéticienne l'ancêtre de Jésus-Christ et du repos du guerrier l'aube du salut.

On peut avoir le plus grand respect pour la Bible sans pour autant apprécier ses récits d'extermination d'Égyptiens, ou de Cananéens. Tous les premier-nés d'Égypte furent tués par Yahvé (Exode, 11, 6) comme les premier-nés de Judée le seront par Hérode (Matthieu, 2, 16). Et par une curieuse inversion de l'Histoire (ou de la légende), la Sainte Famille trouva refuge en Égypte.

Guerre des Juifs

Un peuple contre César

Peut-on imposer la civilisation occidentale par la force ? Telle est la question soulevée par la guerre des Juifs (66-135 après J.-C.), suite de la révolte des Maccabées (167-142 avant J.-C.). Les Romains avaient pris le relais des Grecs en Palestine et la puissance occupante imposait une culture dominante tout en ménageant les usages locaux. Comme la colonisation française en Algérie (1830-1962) maintenait un statut indigène pour les musulmans, la colonisation romaine (66 avant J.-C.-636 après J.C.) toléra (plus ou moins selon les périodes) les coutumes juives, l'application de la Torah et la juridiction du Sanhédrin. Quand les évangiles nous montrent Jésus comparaissant devant Ponce Pilate et le Sanhédrin, ils illustrent une dualité légale et morale entre deux sources de pouvoir. Et quand l'empereur Napoléon convoque, en 1807, un Sanhédrin, il demanda à ces notables juifs de rendre acceptable par la loi française le culte israélite.

Deux lois pour un seul homme : tel est le dilemme du croyant dans un pays « impie » qui ne peut respecter une législation sans en violer une autre : *torah* ou *charia* d'un côté, *lex romana* ou *common law* de l'autre, il faut choisir, que l'on soit zélote au temps de la guerre des Juifs ou islamiste dans une société anglo-saxonne.

Jésus tenta d'éviter le conflit en disant de rendre à César ce qui est à César et, notamment, l'impôt. Il prit quelques libertés avec la loi juive en guérissant les jours de sabbat mais ne plia pas devant la loi romaine en refusant de répondre aux questions de Pilate. Il donna en modèle aux Juifs la foi d'un centurion mais son précurseur, Jean-Baptiste, enjoignit aux soldats romains de se contenter de leur (faible) solde et, donc, de ne pas rançonner les Juifs. Ces tentatives de conciliation échouèrent doublement puisque Jésus fut jugé et condamné à la fois par la juridiction romaine de Pilate et la juridiction juive du Sanhédrin. Pire, à en croire les évangiles, les Juifs préférèrent le rebelle Barabbas au pacifique Jésus.

L'échec humain du Christ fut son succès divin grâce à sa Passion et, pour les croyants, à sa Résurrection. Cet échec était probablement inévitable tant étaient inconciliables la *pax Christi* et la *pax romana*. La première se nourrissait d'amour du prochain, de préférence pour les pauvres. La seconde vivait de la supériorité militaire et de la colonisation économique. Peut-on aimer la loi du vainqueur et la richesse de l'occupant ? Qu'il s'agisse des Américains à Bagdad ou des Romains à Jérusalem, la réponse est non.

L'occupation romaine suscita une guérilla sporadique où petits prophètes et chefs de bande promirent la Jérusalem céleste aux martyrs et la

Jérusalem terrestre aux Juifs survivants. Les disciples du prophète Jésus eurent à affronter les bêtes fauves sur le chemin du paradis. Et l'Apocalypse de saint Jean décrit les fléaux de la « grande prostituée » : c'est le surnom de Rome, métropole de la civilisation antique. Le doux apôtre, auteur supposé de ce brûlot mystique, n'est pas sans rapports avec les islamistes qui voient dans la culture américaine le symbole de la dépravation.

Cette Apocalypse des premiers chrétiens trouve aussi son écho chez leurs lointains successeurs que sont les fondamentalistes protestants alliés à certains juifs intégristes : ils voient dans la lutte actuelle contre l'islamisme radical une nouvelle bataille finale, celle d'Harmaguedon (lieu situé près de Meguiddo, dans le nord d'Israël) : elle verra se répandre les « sept coupes de la colère de Dieu » (Apocalypse, 16, 1) dont la sixième éclate sur le « grand fleuve Euphrate ».

Pendant que l'Apocalypse s'abattait sur les premières communautés chrétiennes, les Juifs voyaient la destruction de Jérusalem. En 66 après J.-C., le procurateur romain Gessius Florus préleva dix-sept talents sur le trésor du Temple : le peuple indigné se révolta malgré les conseils de prudence des notables. Après quelque hésitation, l'empereur Vespasien (le promoteur des urinoirs publics) et son fils le général Titus (le futur époux de Bérénice) choisirent la répression qui fit des dizaines de milliers de morts. La ville fut partiellement détruite et le Temple, bâti par

Hérode moins d'un siècle plus tôt, entièrement incendié en août 70. Il ne sera jamais reconstruit et le judaïsme vivra désormais sans les sacrifices animaux de la Pâque ni les dynasties sacerdotales des prêtres.

Cette guerre des Juifs eut donc pour effet indirect de renforcer le rôle des rabbins (maîtres de prière) et des synagogues (indépendantes du Temple) et de remplacer l'holocauste des bêtes par le sacrifice intérieur. Cet effort ascétique était déjà recommandé par le Psaume 50 : « Si j'offre un sacrifice, tu n'en veux pas, le sacrifice voulu par Dieu, c'est un esprit brisé. »

Mais des zélotes poursuivirent encore trois ans la rébellion contre la Xe légion romaine et s'enfermèrent dans la citadelle de Massada (au-dessus de la mer Morte), ancienne résidence d'Hérode. Ils préférèrent se suicider plutôt que de se rendre et leur héroïsme est devenu un symbole du courage au même titre que la résistance du ghetto de Varsovie. Aujourd'hui encore, les officiers de l'armée israélienne prêtent serment dans cette forteresse, jurant que Massada ne tombera pas une deuxième fois. Et de nombreux jeunes célèbrent leur *bar* ou *bat mitzva* en ce lieu de mémoire.

D'autres révoltes juives affectèrent l'Empire romain, de l'Égypte à la Cyrénaïque et de Chypre à la Mésopotamie. La Judée se souleva à nouveau à l'époque (129 ou 130 après J.-C.) où l'empereur Hadrien interdisait la castration (pratiquée par les prêtres de certains cultes comme celui d'Artémis à Éphèse), abusivement confondue avec la circoncision. Le motif (ou le prétexte) immédiat de la rébellion était donc le même que celui de la révolte des Maccabées mais elle avait bien d'autres causes (la reconstruction d'une ville païenne et d'un temple dédié à Jupiter dans les murailles de Jérusalem). D'ailleurs, les chrétiens incirconcis n'évitèrent pas les persécutions.

La répression fut terrible et transforma cette deuxième guerre des Juifs en une nouvelle extermination. Cette persécution du IIe siècle obligea les Juifs à s'exiler (rebaptisée Aelia Capitolina, Jérusalem fut pour eux une ville interdite) et le judaïsme ne survécut que grâce à sa diaspora. L'empereur Antonin le Pieux (138-161) leva l'interdit de la circoncision et les communautés juives de l'Empire disposèrent, sinon d'une totale liberté, du moins d'une relative tolérance religieuse tout en rêvant parfois d'un retour à la Terre sainte, « l'année prochaine à Jérusalem ».

Hindouisme

Prêtres et guerriers

Avec le trident de Shiva, la massue de Vishnou, le sabre de Durgâ et de Kalî, le poignard d'Hanuman et l'arc de Râma, les dieux hindous ne manquent pas d'armes. L'hindouisme serait-il donc une religion violente fondée par une caste de guerriers (*kshatriya*) ?

La pensée indienne étant un subtil mariage des contraires, la réponse ne peut qu'être oui et non. La massue de Vishnou est celle d'une force de l'ordre (comme la matraque d'un policier) qui conserve la société mais rénove le genre humain (Vishnou est un dieu protecteur, conservateur et réformateur par l'action de ses avatars). Le trident de Shiva est une arme de destruction du mal comme son phallus (*linga*) une arme de création du bien. Le poignard d'Hanuman aide à vaincre le démon (Râvana) avec le concours de l'armée des singes et de l'arc de Râma, le modèle de la bravoure.

Quant à Durgâ et Kalî, elles sont les parèdres de Shiva, les énergies féminines d'un dieu ityphallique, et leurs armes concourent par la magie à l'équilibre des sexes en une époque où le métier militaire n'était pas ouvert aux femmes. Durgâ tient d'ailleurs le sabre d'Agni, le trident de Shiva et le disque (symbole de domination universelle) de Vishnou, répondant au désir féminin de s'incorporer la puissance masculine. Deux mille ans avant Simone de Beauvoir, la mythologie hindoue (mais pas la société indienne) faisait du « deuxième sexe » l'égal du premier.

Celui-ci doit défendre les femmes et les enfants grâce aux guerriers (*kshatriya*) qui sont gestionnaires en temps de paix et militaires en temps de guerre, sortes d'administrateurs civils, officiers de réserve. Ils forment la deuxième caste (*varna*, c'est-à-dire « couleur ») issue des cuisses du dieu Brahma alors que les brahmanes (prêtres), sortis de sa tête, forment la première. Toute l'histoire religieuse de l'Inde découle de la rivalité de ces deux groupes. Les guerriers furent peut-être la caste dominante avant d'être supplantés, à l'époque védique (Ier millénaire avant J.-C.) par les brahmanes. Les réformes du Bouddha et du Jina auraient constitué une sorte de reprise du pouvoir des guerriers contre les prêtres (les attaques du Bouddha contre les brahmanes sont très dures) mais ceux-ci auraient contre-attaqué en rénovant le vieux védisme pour en faire l'hindouisme qui a presque éliminé (depuis le XIIIe siècle après J.-C.) le bouddhisme du sol indien.

Les grands récits fondateurs de l'hindouisme, tels le Râmâyana et le Mâhâbharata, furent sinon composés du moins remaniés pour combattre le bouddhisme non violent et « asocial » (c'est-à-dire négligeant les castes). Il est impossible d'y dissocier l'histoire du mythe (comme dans l'*Iliade* et l'*Odyssée*) ni la guerre civile des conflits extérieurs.

Le Mâhâbharata est la « grande (*mâhâ*) épopée (*bharata*) » dont le nom même a fini par désigner l'Inde, terre de conflits aux origines mal connues. L'hostilité de clans rivaux (les Kaurava et les Pândava) dans le Mâhâbharata peut se superposer à une lutte (voire la dissimuler) entre peuples indo-européens et dravidiens. Le Râmâyana (la « marche » ou le « véhicule » de Râma) est la recherche de l'âme sœur (Râma aime Sîtâ) ; la quête de l'union entre l'âme individuelle (*âtman*), représentée par Sîtâ, avec l'âme universelle (*brahman*), représentée par Râma ; et la lutte pour l'unité du monde indien depuis l'Himalaya jusqu'au Sri Lanka, soit trois mille kilomètres franchis d'un seul bond par Hanuman, chef de l'armée des singes.

Au total, il est impossible d'attribuer un caractère belliqueux ou pacifique à ces récits qui semblent moins violents que certains livres bibliques racontant les guerres d'Israël contre les Cananéens ou les Philistins. Selon l'interprétation donnée à ces épopées, elles peuvent exorciser les haines ancestrales ou entretenir les violences ethniques.

Le vrai danger est de confondre hindouisme et indianité et d'interdire, selon les vœux des extrémistes hindous, l'exercice des autres religions sur le sol indien. Cette intolérance est probablement née d'une longue suite d'invasions car l'histoire indienne est une succession de désastres militaires. À la différence de la Chine, assez bien protégée par sa Grande Muraille, l'Inde n'a pu ni su se défendre contre les armées étrangères des Perses (vers 550 avant J.-C.), d'Alexandre le Grand (vers 330 avant J.-C.), des Scythes (vers 80 avant J.-C.), des Arabes (à partir de 712 après J.-C.), des Turcs et des Afghans (à partir de 1192), des Moghols (à partir de 1526), des Portugais (XVIe siècle), des Anglais et des Français (XVIIe siècle), etc.

Cette faiblesse militaire engendra un durcissement religieux et à la fragmentation stratégique en une multitude de royaumes répondit une unification théologique en une foi dominante. Face aux destructions de milliers de temples hindous par les régimes musulmans, le pays s'est reconstruit idéologiquement en solidifiant le système des castes. Comme les prêtres catholiques dans la Pologne communiste, les brahmanes hindous ont personnifié la résistance spirituelle et la tradition nationale.

Mais toute religion persécutée devient persécutrice. Lorsque, en 1992, à Ayodhyâ (l'Imprenable), les manifestants hindous détruisirent une mosquée construite sur le site supposé d'un temple dédié à Râma, ils donnèrent le signal d'une reconquête du pays et d'une intransigeance de la foi propres à mettre en danger les musulmans voire les chrétiens. De même qu'en 1947 l'exode des musulmans pourchassés avait entraîné la partition du pays (et la naissance du Pakistan), la persécution des minorités religieuses risque aujourd'hui d'atteindre profondément la paix et l'unité du pays.

Et de même que Gandhi avait été assassiné par un brahmane, les hindous pacifiques risquent d'être supplantés par leurs coreligionnaires intolérants. Ils pourraient méditer l'attitude du Dr Ambedkar, un intouchable, rédacteur de la Constitution indienne de 1950 (à la demande du brahmane Nehru), qui se convertit au bouddhisme pour refuser la ségrégation des castes et la dictature des prêtres. Mais les violences intérieures ou extérieures ne sont pas une fatalité pour l'Inde qui peut toujours préférer la flûte de

Khrisna (huitième avatar de Vishnou) à la lance de Skanda (dieu guerrier, fils de Shiva).

Irlande

Catholique ou fanatique ?

Cinq siècles de violences entre catholiques et protestants ont fait de l'Irlande la patrie européenne des guerres de religion. Mais ces conflits ont toujours eu des dimensions économiques, sociales et culturelles de sorte que l'antagonisme religieux est à la fois cause et conséquence de dissensions multiples.

Convertie au christianisme par des missionnaires (comme saint Patrick, ancien moine de Lérins) au début du Ve siècle, l'Irlande fut rapidement surnommée l'« île des saints » tant la ferveur et l'angoisse religieuses étaient vives : certains monastères comptaient jusqu'à trois mille moines qui, par crainte du péché et honte de l'aveu, inventèrent la confession individuelle et auriculaire. Elle se substitua rapidement, dans toute la chrétienté, à la confession publique, un peu trop impudique et manipulée (les séances d'autocritique dans les partis communistes souffriront des mêmes défauts). Avec ses pénitences tarifées (à chaque faute sa peine) et son déroulement discret, la confession périodique devint la règle qui permit la communion fréquente.

En plus de cette révolution sacramentelle, le monde catholique doit à l'Irlande la date d'une fête majeure : la Toussaint. Version chrétienne d'une célébration païenne (Halloween ou « veille des saints »), cette commémoration du 1er novembre fut généralisée sur le continent en 835 par le roi de France Louis le Pieux.

La richesse de l'Église d'Irlande attira les convoitises et les premières guerres de religion irlandaises furent, en fait, des raids vikings (vers 795) suscités par les trésors des monastères. Ils n'empêchèrent pas le christianisme de prospérer matériellement et spirituellement. Dès le IXe siècle, trois cents ans avant l'Europe continentale, l'Irlande fêta l'Immaculée Conception. Ce culte de l'Immaculée, symétrique de la confession des péchés, « catholicisait » l'Église irlandaise et annonçait les luttes contre la Réforme : Henry VIII ne put jamais faire admettre le schisme anglican par les évêques et le peuple irlandais même si le Parlement irlandais, composé de colons anglais, l'accepta. Un pouvoir colonial contre une Église nationale : il y avait là les prémices d'une guerre civile.

Les Irlandais refusèrent donc l'Acte de suprématie (1534) qui établissait le roi comme « unique et suprême chef » de l'Église d'Angleterre à la place du pape. La reine Élisabeth Ire réagit violemment et, à partir de 1671, mena la persécution des catholiques irlandais dont le clergé fut remplacé par des prêtres anglicans. Mais en 1646, le roi Charles Ier accorda aux Irlandais la liberté de culte et tenta de conclure une alliance avec eux pour contrer le puritanisme républicain de Cromwell. Déchirés entre modérés et radicaux, les Irlandais, soutenus par le nonce, refusèrent le compromis avec le roi. Cette intransigeance (fréquente dans l'histoire irlandaise) les exposa aux foudres de Cromwell parvenu au pouvoir : le fondateur de la République unifiée (*Commonwealth*) entre l'Angleterre, l'Écosse et l'Irlande entreprit de réprimer la fronde irlandaise. Cet assaut des « Têtes rondes » (1649) eut pour réponse tardive la révolte des « Gars blancs » (1767) dans un chassé-croisé de rébellion et de répression.

On disait la messe en secret et le clergé était clandestin. Mais à la fin du siècle des Lumières, l'opinion mondiale et la bourgeoisie anglaise s'émurent de cette intolérance anglicane et le catholicisme irlandais (et anglais) obtint, en 1778, un acte de « soulagement » (*relief*) lui accordant quelques droits. Au début des campagnes de « boycott » des produits anglais, les Irlandais obtinrent un acte d'émancipation (1829) et diverses mesures d'apaisement mais leur leader, O'Connell, jugé trop libéral ou pas assez conservateur, ne fut guère soutenu par l'Église catholique. Son successeur, Parnell, protestant et concubin, fut carrément maudit par le clergé catholique comme par les puritains anglicans. La morale sexuelle a toujours joué un rôle majeur dans la lutte pour le pouvoir en Irlande, pays qui n'a autorisé le divorce que d'extrême justesse, en 1995 (49,70 % de non au référendum).

Malgré l'adoption d'une loi d'autonomie intérieure (*Home Rule*) en 1912, la guerre civile éclata en 1916, au plus fort de la Première Guerre mondiale. Elle aboutit à la partition de l'île et, en 1937, à la proclamation de la République d'Irlande. Durant la Deuxième Guerre mondiale, l'Irlande demeura neutre et déclara même un deuil officiel à la mort d'Hitler.

Dans ce climat passionnel, les cantons du Nord (Ulster), demeurés fidèles à la Couronne britannique, eurent aussi leurs extrémistes du Parti unioniste et des mouvements « orangistes » (appelés ainsi en mémoire du prince d'Orange, Guillaume III, vainqueur, en 1690, du roi catholique Jacques II aidé par Louis XIV). Le pasteur Ian Paisley se rendit célèbre par ses sermons violemment anticatholiques. Les militants catholiques de l'Irish Republican Army (IRA) n'étaient guère plus tendres. La charité chrétienne n'a pas animé les militants politiques de ce pays dont la Constitution (comme celle de la Grèce) fut proclamée, en 1937, « au nom de la Très Sainte Trinité ».

La violence a beaucoup décliné en Irlande depuis la fin du XXe siècle et la guerre civile appartient, espérons-le, au passé. Elle fut menée avec des méthodes héroïques ou fanatiques : l'Irlande dispute à l'Inde le privilège d'avoir inventé les grèves de la faim. L'une des premières aurait été menée d'août à novembre 1920 par Terence McSwiney, lord-maire de Cork. Gandhi aurait pratiqué un premier jeûne prolongé trois ans plus tôt afin de défendre les cultivateurs d'indigo. L'exotique « grande âme » (*Mahatma*) toucha plus l'opinion britannique que les trop proches Irlandais, lesquels payèrent jusqu'à la mort leur faim d'une patrie.

Jihad

Un combat pour un État

L'islam a été propagé par des soldats ou des marchands et fut fondé par un marchand-soldat, Mahomet. Les soldats l'ont exporté jusqu'à Poitiers et à Lahore, les marchands l'ont convoyé de l'Inde à l'Indonésie (par voie de mer) et du Maghreb à l'Afrique noire (par voie de terre). Mahomet était un ancien homme d'affaires devenu chef d'armée. D'abord simple employé chez un petit boutiquier, son oncle Abu Talib, il devint associé dans l'entreprise de transport (par chameaux) d'une riche veuve, Kharidja, sa première épouse.

Après la révélation du Coran, il lui faudra se battre contre les incroyants et, de commerçant visionnaire, il deviendra prophète-guerrier. Si le bouddhisme et le jaïnisme ont été fondés par des « guerriers » (le Bouddha et le Jina, de la caste des Khsatriya) puis diffusés par des marchands, l'islam n'a pas connu cette séparation chronologique du commercial et du militaire. Entre batailles et marchés, son histoire est une longue conquête tantôt pacifique, tantôt belliqueuse.

La première bataille livrée par Mahomet, celle de Badr (en 624, an II de l'Hégire), est la plus symbolique et la plus ambiguë : engagée contre une caravane de polythéistes mecquois, elle associe la razzia et le *jihad*. Gagnée grâce à la possession d'un point d'eau, elle est une victoire des tribus du désert sur les clans de la ville. Menée avec beaucoup de discipline sous la direction du Prophète, elle est un premier pas vers l'unification de l'Arabie par la voie de l'islam. Et comme il n'y a pas de politique sans polémique, la guerre sainte devient raison d'État. La bataille de Badr resta dans la mémoire de tous les chefs musulmans, notamment celle de Saladin qui, en juillet 1187, battit les croisés assoiffés aux Cornes de Hittim, tandis que l'armée arabe pouvait s'abreuver au lac de Tibériade.

La deuxième bataille, celle d'Ohod (en 625), fut une défaite due, selon la tradition, à l'indiscipline des archers musulmans qui auraient déserté le champ de bataille pour piller la caravane des Mecquois. Elle montre aussi une première dissension entre musulmans et juifs, jusque-là alliés, ceux-ci étant dispensés de combattre pour cause de sabbat ou (selon une autre version) par crainte d'une désertion.

La troisième bataille, celle du Fossé (en 627), fut une guerre de tranchées creusées autour de Médine sur ordre du Prophète et selon une méthode éprouvée du génie iranien. D'après la tradition, la victoire revint aux Médinois musulmans, les Mecquois polythéistes ayant finalement levé le siège. Mais l'islam gagna malgré la défection des juifs et des « mécréants » ou « hypocrites ». Cette bataille creusa donc un véritable « fossé » entre l'islam naissant et le judaïsme comme entre les musulmans convaincus et leurs coreligionnaires moins décidés : on ne pouvait désormais avoir foi en Dieu sans croire à la victoire.

La quatrième bataille du Prophète fut une victoire sans combat : la prise de La Mecque en l'an VIII de l'Hégire (630 après J.C.), durant le mois de ramadan. Mahomet entra facilement dans sa ville natale après avoir obtenu le ralliement de la plupart des tribus bédouines : l'envoyé de Dieu devient homme d'État et le Dieu unique unifie l'Arabie. La Mecque, cité commerçante, sera Ville sainte. Pour l'islam, la traversée du désert prend fin. L'ère des pèlerinages commence.

Liban

Forteresse des dissidents

La neige en deuil : telle est l'histoire du Liban, ce « pays du blanc » ensanglanté par tant de guerres impitoyables, cette région de montagnes, refuge des confessions minoritaires.

À en croire la Bible, les Phéniciens, ancêtres des Libanais, étaient pourtant œcuméniques : Hiram, roi de Tyr, fit alliance avec David et lui bâtit une maison (II Samuel, 5, 11) avec une charpente en cèdre. Il fut également le fournisseur des matériaux du Temple de Salomon mais, mauvais payeur, celui-ci ne lui donna que vingt villages qui ne plurent pas à son voisin créancier (et probablement beau-père) (I Rois, 8, 12).

Grands commerçants, les Phéniciens (comme les Chinois) se montraient fort accommodants sur le plan religieux et, de Carthage à Cadix, leurs comptoirs abritaient marchandises et dévotions, bois précieux et métaux rares, culte de Salammbô et temple de Demeter. Tels des Suisses du Proche-Orient, ils chérissaient avant tout indépendance et neutralité.

Comme les Incas, ils pratiquaient (rarement) des sacrifices d'enfants nobles (des garçons et non des filles, à la différence des Incas). Comme les Hébreux, ils vénéraient le dieu El (qui se transforme en Elohim dans la Bible), ultérieurement incarné en Adon (rappelant Adonaï, autre nom d'Elohim), jeune dieu qui meurt au printemps et ressuscite trois jours après comme Jésus-Christ. Le Liban accueillit donc favorablement le christianisme. Lors des persécutions romaines, des chrétiens se réfugièrent dans la région du mont Liban où, deux millénaires plus tard, ils ont toujours couvents et monastères, les points culminants du pays jouxtant les hauts lieux de la foi.

Alors que tout le Proche-Orient chrétien passait aux « hérésies » religieuses (monophysisme et nestorianisme) notamment pour contrer l'orthodoxie politique (la légitimité de Byzance et de sa théologie officielle), le Liban chrétien restait fidèle à la foi de l'empereur : il était et demeura longtemps melkite (partisan du roi). Mais, toujours partisans de la neutralité et de l'indépendance, certains Libanais devinrent maronites (en référence à saint Maron) et soutinrent (comme les orthodoxes) que Dieu a bien deux natures, humaine et divine, mais n'a qu'une seule volonté divine (thèse des monophysites). Ce monoénergisme ou monothélisme fit l'originalité et la fragilité du christianisme libanais, divisé aujourd'hui en onze confessions chrétiennes.

À partir de 635, les Arabes envahissent les plaines et convertissent la côte alors que les chrétiens tiennent les montagnes du nord. Dans celles du sud s'installent progressivement les druzes, issus au XIe siècle de l'ismaélisme fatimide égyptien. Le découpage géographique et théologique du pays se complique donc au Xe siècle, inaugurant un millénaire de coexistence religieuse plus ou moins mouvementée. Les chrétiens libanais appellent souvent l'Occident à leur secours (notamment durant les Croisades) et sont généralement déçus : l'arabisation du pays (la langue arabe remplaçant l'araméen et le syriaque) se fait à l'intérieur d'un univers sémitique étranger aux Européens.

Ceux-ci sont eux-mêmes religieusement divisés et, en 1840, l'Angleterre protestante exile l'émir libanais Béchir II, jugé trop proche du sultan d'Égypte et des catholiques français. En 1860, les druzes, avec la neutralité bienveillante des Turcs, massacrent vingt mille maronites. Ceux-ci reçoivent l'aide de la France catholique de Napoléon III et des Règlements organiques (1861 et 1864) associent pour l'administration du pays confessionnalisme et régionalisme : à chaque région sa religion, à chaque personne sa confession. Jusqu'en 1997, la religion était mentionnée sur la carte d'identité.

Ce morcellement religieux dans un pays grand comme deux départements français (et aussi petit qu'Israël) multiplie les causes de conflits. En 1926, la France (assurant le mandat sur le Liban au nom de la SDN) doit affronter une révolte des druzes. Après l'indépendance (1945), la rupture de l'équilibre démographique ruine l'harmonie politique : les musulmans, plus nombreux, réclament plus de postes.

Religieux (comme au Liban) ou linguistique (comme en Belgique), tout critère fixe de partition ou de répartition bute immanquablement sur la variable démographique. Au Liban, celle-ci est bouleversée, à partir de 1948, par l'afflux de réfugiés palestiniens. Minoritaires en voix (ils forment aujourd'hui 40 % de la population) et inférieurs en force (les grecs-orthodoxes n'avaient, à la différence des maronites, pas de milice), les chrétiens deviennent démocratiquement et stratégiquement affaiblis.

De 1975 à 1990, un long conflit provoque la mort de deux cent mille Libanais (soit 7 % de la population) et l'exil de centaines de milliers d'autres. En proportion, ces pertes humaines sont supérieures à celles subies par la France durant les deux guerres mondiales.

Ce conflit présente certaines caractéristiques des guerres de religion : les combats les plus meurtriers opposèrent des chrétiens à des musulmans (chiites ou sunnites) et à des druzes. L'intervention en 1982 d'Israël ajoute l'État juif aux nombre des belligérants. Le départ de nombreux chrétiens vers l'Europe ou l'Amérique s'inscrit dans le vaste exode des disciples du Christ qui, dans tout le Proche-Orient, de l'Irak à l'Égypte, sont des candidats au départ. Écartelés entre leur culture arabe et leur religion chrétienne, ces Orientaux ne peuvent demander le secours de l'« Occident chrétien » sans passer pour des traîtres à leur pays. Mais ils ne sauraient s'intégrer à leur patrie islamisée sans renoncer à leurs coutumes sinon à leurs croyances.

Les chrétiens du Liban ayant tour à tour reçu l'aide des Américains, des Français, des Syriens et des Israéliens, la guerre du Liban apparaît d'une extrême complexité. Elle justifie pleinement la célèbre phrase du général de Gaulle : « Vers l'Orient compliqué, je volais avec des idées simples. » Elle illustre également, autant que le conflit israélo-palestinien, la virulence accrue des guerres de religion sur des terres surpeuplées. Le grand paradoxe du monothéisme au Proche-Orient, c'est qu'il y a trop d'hommes pour un seul Dieu.

Luther

La Réforme contre la révolte

Peut-on réformer une religion sans violence ? La question se posa, en 1524, à Martin Luther durant la guerre des Paysans.

Dix ans plus tôt, le moine allemand avait défié l'autorité pontificale en quittant son couvent pour protester contre la vente d'indulgences destinée à financer la construction de la basilique

Saint-Pierre de Rome. Ces « passeports pour arriver tout droit au paradis » n'étaient ni une nouveauté romaine ni une exclusivité du catholicisme : les croisés avaient déjà bénéficié d'indulgences et les bouddhistes peuvent accéder plus vite au *nirvana* en faisant des donations aux monastères.

Mais le religieux augustinien refusait le marchandage du pardon et professait la supériorité de la grâce divine sur les œuvres pieuses comme de la Sainte Écriture sur le magistère de l'Église. Ces changements théologiques passaient-ils par une réforme pacifique ou par une révolution violente ? Homme d'ordre et intellectuel rigoureux, Luther refusait les ruptures brutales et les dérives anarchistes.

Il attaquait le pape mais pas l'épiscopat et ne concevait pas d'Église sans hiérarchie : les luthériens ont d'ailleurs encore des évêques. Fin lettré, Luther se méfiait aussi du populisme ignorant et il s'était concilié les faveurs des princes hostiles à Rome grâce à une habile lettre, *À la noblesse chrétienne de la nation allemande*.

Mais peut-on prêcher la Réforme sans causer la révolte ? Un religieux radical, Thomas Müntzer, se sépara rapidement de Luther pour proclamer un « royaume du Christ » tout aussi communiste qu'évangélique : comme Jésus, il promettait le malheur aux riches et demandait le partage des biens. Imprégné de mysticisme, il pensait, quatre siècles avant Péguy, que tout commence en mystique et que tout finit par la politique. Il exposa donc sa profession de foi dans un *Sermon aux princes*, revendiqua pour les illettrés le droit de connaître l'Évangile et pour chaque fidèle celui de parler au nom du Saint-Esprit.

La dispute théologique alimenta les conflits sociaux quand des paysans s'insurgèrent contre une comtesse qui, dit-on, voulait leur faire ramasser des morilles durant les semailles et des escargots en pleine moisson. Les révoltés s'attaquèrent aux châteaux et aux églises et Müntzer prit la tête de cette guerre des Paysans qui, selon Engels, préfigure les révolutions modernes.

Luther prit le parti des princes contre les gueux : « La révolution est pire que le meurtre », aurait-il affirmé, à la manière de Goethe préférant « une injustice à la révolte ». La répression fut féroce et Müntzer périt décapité (1525), victime d'une Réforme bourgeoise et d'un pouvoir princier, d'une Église toujours à réformer (*semper reformanda*) mais sans révolution permanente.

Si Müntzer, comme Jésus, ne vécut qu'environ trente-cinq ans, sa postérité est innombrable, à la fois révolutionnaire et réactionnaire alors que Luther se voulait conservateur et réformateur. Et cette filiation populaire voire populiste remonte aux paysans allemands qui, en 1525, établirent les *Articles fondamentaux de toute la paysannerie et de tous les sujets soumis à l'autorité religieuse et civile.*

Ces douze articles exigeaient l'élection libre du prédicant par la communauté paroissiale qui le rémunérait. Les brebis choisissent leur pasteur qui réunit le troupeau (*congregatio*). Ce régime d'assemblée fait du royaume des cieux une démocratie. Il est à l'origine du mouvement congrégationnaliste qui passa en Angleterre puis aux États-Unis et se retrouve aujourd'hui dans les nombreuses Églises indépendantes dites « évangéliques ».

Entre quelques revendications sur la liberté de la chasse et l'allégement des corvées, les paysans de Müntzer demandaient aussi des pasteurs prêchant « de façon claire et limpide sans tous les éléments humains ». Ils refusaient à la fois l'exégèse savante et l'humanisme nuancé au profit d'une lecture simple de la Bible et d'une croyance neuve en la Grâce. Ils voulaient une exégèse littérale pour les illettrés et l'ouverture du paradis à tous les damnés de la terre.

Cette théocratie des « illuminés » et cette théologie des petites gens auront une grande influence sur le protestantisme prolétarien des immigrés d'Amérique : la foi simple de la « majorité morale » est celle des gens pieux de la communauté sociale. Contre Luther, l'« archichancelier du diable », Müntzer se disait « armé du glaive de Gédéon ». En dressant contre l'assemblée des professeurs une république des paysans, il fut l'un des premiers réformés à prêcher l'Évangile des pauvres gens.

Maccabées

Des martyrs au paradis

Synonymes de cadavres dans l'argot des étudiants en médecine, les Maccabées n'ont guère fréquenté les amphithéâtres : ils détruisaient même les lieux de spectacles et de plaisirs qu'on édifiait dans la pieuse Jérusalem. Car les frères Maccabées, Judas, Jonathan et Simon, luttaient contre l'hellénisation de la Cité sainte, imposée par un descendant des généraux d'Alexandre le Grand, Antiochos IV. En 167 avant J.-C. ils prirent les armes contre ce païen qui avait introduit le culte de Zeus dans le temple de Yahvé et massacré les habitants de la ville de David, prouvant ainsi que le polythéisme peut être aussi fanatique que le monothéisme.

La Torah était mise hors la loi : on mangeait du porc et le *shabbat* n'était plus respecté. Les garçons juifs se refaisaient des prépuces pour paraître dans les « lieux du vice » que sont les gymnases où l'on enseignait la philosophie grecque et non l'histoire d'Israël. Inversement, les frères Maccabées circoncirent de force les enfants incirconcis (I Maccabées, 2, 45) et observèrent scrupuleusement la Loi à une exception près : ils firent la guerre le samedi (I Maccabées, 2, 41), sachant que le repos des jours sacrés peut coûter cher aux armées. Et l'attaque des armées arabes le jour du Yom Kippour (6 octobre 1973) leur donna raison deux mille ans plus tard.

La guerre des Maccabées fut un choc des civilisations et un refus des métissages. Nombre de Juifs hellénisés ou de Grecs judaïsés (les prosélytes) étaient pourtant prêts au compromis : le grand prêtre Jason envoya même des jeunes sportifs de Jérusalem aux Jeux de Tyr (II Maccabées, 4, 18). Mais cette introduction de l'olympisme avec ses corps dénudés, dans la cité de l'Éternel, ne pouvait que choquer les *hassidim* (pieux).

Des repas rituels, préfigurant la sainte Cène, étaient organisés le jour de la naissance du roi Antiochos (II Maccabées, 6, 7) et tous les juifs devaient participer à cette messe obligatoire. Ils devaient aussi accompagner le cortège des fêtes de Dionysos alors qu'ils tenaient (souvent à tort) cette cérémonie bacchique pour une orgie. La guerre sainte se veut le combat de l'ascèse contre la débauche tout en révélant souvent une incompréhension mutuelle. À moins de maudire le peuple allemand pour sa fête de la bière à Munich et le peuple français pour ses bals du 14 Juillet, on ne peut voir dans la liesse populaire le triomphe du péché. Mais les coutumes du judaïsme et de l'hellénisme étaient sans doute trop éloignées pour que les usages d'un peuple s'imposent à l'autre. Certes les Juifs aisés se voulaient grecs comme notre « beurgeoisie » est francisée. Cependant le peuple, écrasé d'impôts et victime de discriminations, s'accrochait à ses traditions et n'attendait que des chefs charismatiques pour se révolter.

Les frères Maccabées ne sont pas les frères Ben Laden. Ils voulaient non pas détruire la puissance dominante mais protéger la foi opprimée. Ils y parvinrent et le Temple de Jérusalem fut purifié, le culte de Yahvé restauré. Pourtant leurs succès militaires furent des victoires à la Pyrrhus. Comme le roi grec épuisé par de cruelles batailles, les Maccabées dépensèrent beaucoup d'énergie pour gagner leur guerre. Surtout, croyant que les ennemis des ennemis sont des amis, ils firent appel aux adversaires des Grecs, les Romains. Ils payèrent tribut à la ville aux sept collines sous la forme d'un bouclier d'or pesant mille mines (I Maccabées, 14, 24) et conclurent une alliance avec la cité du Tibre. Celle-ci dura près d'un siècle jusqu'à ce que le général Pompée intervînt militairement (66 avant J.-C.) pour « pacifier » la Palestine déchirée par les querelles des partis juifs. Et le « sauveur » romanisa Israël comme Antiochos IV l'avait hellénisé.

Si la guerre des Maccabées n'est qu'un épisode de la longue histoire militaire d'Israël, ses conséquences religieuses furent immenses : elle renforça la foi en un dieu unique et l'espérance en une vie future. Une mère avait sept fils torturés par des bourreaux à la solde des Grecs ; elle exhorta le cadet à ne pas renier son Dieu : « Je te conjure, mon enfant, regarde le ciel et la terre, contemple tout ce qui est en eux et reconnais que Dieu les a créés de rien et que la race des hommes est faite de la même manière. Ne crains pas ces bourreaux mais, te montrant digne de tes frères, accepte la mort, afin que je te retrouve avec tes frères au temps de la miséricorde » (II Maccabées, 7, 28-29).

Ce discours, probablement légendaire, contient trois révolutions théologiques : c'est d'abord la première mention explicite d'une foi en la création du monde ex nihilo (à partir de rien) et en la vie d'un monde à venir. Le Créateur n'ordonne pas seulement le chaos : il suscite la vie et détruit le néant. Cette doctrine, proche de la théorie de la génération spontanée, déjà présente dans la philosophie d'Aristote, dominera la pensée européenne jusqu'à ce que Pasteur (pourtant chrétien) y mette un terme en affirmant qu'il n'y a pas de vie sans une vie antérieure semblable et en rejoignant Claude Bernard selon qui, « en fait de matière, rien ne se perd ni rien ne se crée dans la nature ». En fait d'esprit, la question demeure ouverte.

Ce discours renferme ensuite la première référence certaine de la Bible au « temps de miséricorde » qu'est la Résurrection. L'un des fils torturés dit d'ailleurs à son bourreau : « Scélérat, tu nous exclus de la vie présente mais le roi du monde, parce que nous serons morts pour ses lois, nous ressuscitera pour la vie éternelle » (II Maccabées, 7, 9). Si le prophète Ézéchiel évoquait déjà les ossements desséchés recouverts de chair par le souffle de Dieu (Ézéchiel, 37, 5), sa vision mystique semble assez isolée. La foi des Maccabées inaugure la croyance populaire d'une partie des juifs (les pharisiens) en une vie bienheureuse qui consolerait des malheurs de l'existence. Jésus crucifié et ressuscité se situe dans la filiation spirituelle des Maccabées.

Ce discours est enfin le premier exemple d'une récompense éternelle des martyrs de la foi. Si les combattants des Croisades ou du *jihad* ont pu croire au paradis, ils le doivent d'abord aux soldats des Maccabées qui donnaient et recevaient la mort en échange d'une autre vie.

De nos jours, les Maccabées rechercheraient peut-être une solution négociée qui préserverait leur identité au sein d'une culture dominante. Tels les Kanaks de Nouvelle-Calédonie ou les Aborigènes d'Australie, ils obtiendraient la reconnaissance de leurs usages sociaux et de leurs coutumes religieuses. La circoncision ne ferait plus problème en notre époque où 70 % des Américains de toute confession sont circoncis pour des motifs d'hygiène. Le respect du *shabbat* est devenu plus facile depuis que le samedi est chômé. La viande de porc ne serait plus servie obligatoirement dans les cantines. Notre époque a bien progressé dans le domaine de la tolérance, du moins dans une démocratie. Nous avons hérité celle-ci en partie des anciens Grecs et les Maccabées d'aujourd'hui devraient leur liberté à leurs vieux ennemis.

Marne

Maçonnique et catholique

La République anticléricale accomplit le « miracle » de la Marne, cette bataille remportée par deux généraux francs-maçons, Joffre et Galliéni. La hiérarchie catholique française a authentifié ce « miracle relatif », « acte de la Providence divine qui dirige les causes secondes et leur fait produire, en certains cas, un résultat imprévu et inexpliqué » (Mgr Gibier, évêque de Versailles).

Paraphrasant la Bible, le prélat dresse ce tableau apocalyptique : « Nos généraux sont des géants qui commandent à des armées de héros. Nos officiers tombent par centaines et nos soldats par milliers. » Face au Kaiser, le « nouvel Attila », « pendant que l'armée du front se battait héroïquement..., l'armée d'en haut, c'est-à-dire nos alliés surnaturels, nos saints et nos saintes de France, Geneviève à l'aile gauche, Jeanne d'Arc à l'aile droite, la Vierge Marie au centre, intercédait et luttait puissamment pour la France... Gloire à Dieu qui nous a donné le miracle de la Marne ».

Le cardinal Amette, archevêque de Paris, exaltait les chefs et les soldats français car « la main de Dieu a été avec eux ». D'ailleurs, cette guerre des tranchées était une prophétie de l'évangile du dimanche 1er août 1914 : « Tes ennemis t'environnent de tranchées » (Luc, 19, 43). Péguy avait déjà béatifié les martyrs français dont il fut l'un des premiers :

> *« Heureux ceux qui sont morts dans une juste guerre*
> *Heureux les épis mûrs et les blés moissonnés. »*

En 1905, la France avait été coupée en deux par les lois anticléricales, en 1914 elle retrouvait son unité par la guerre anti-allemande. Telle fut cette « Union sacrée » contre les barbares qui divisa le monde en deux camps : celui des « ennemis de toute humanité » opposés à la France et à ses « vaillants alliés », l'Angleterre, l'« héroïque Serbie », la « noble Belgique », la « malheureuse Pologne » et la « pantelante Arménie ». D'un côté, il y a « l'Évangile maculé de sang et piétiné par les affreux disciples de Luther » comme le Kaiser auprès duquel « Néron n'était qu'un apprenti » (Mgr Gibier) ; de l'autre côté, il y a la France immortelle fière de son armée car « le plus éblouissant (des soldats) est le Français » (Mgr Touchet, évêque d'Orléans).

La Première Guerre mondiale n'est pas une guerre de religion : alliée à l'Angleterre protestante et à la Russie orthodoxe, opposée à l'Autriche catholique, la France laïque ne défendait aucune cause confessionnelle. Mais par le sacrifice des morts, la France était réconciliée avec elle-même comme par le sacrifice de la messe l'Église communie dans l'unité. « Par les expiations nécessaires et le sacrifice rédempteur » (Mgr Gibier), la France fut régénérée. Telle était aussi la position de l'épiscopat français, exprimée dans une lettre collective en 1919 : *Sur la régénération de la France après la Grande Guerre*. Celle-ci avait pris fin par un nouveau « miracle », la deuxième bataille de la Marne (1918) gagnée par le général Foch qui disait tous les jours son chapelet et avait été nommé à la tête des armées par le très anticlérical Georges Clemenceau.

Tout conflit extérieur supprime les guerres intestines. Et la guerre de 1914-1918 effaça les dommages des « lois scélérates » de la République laïque. Elle fut même une victoire du crucifix puisque, dans les cimetières militaires, tous les soldats (à l'exception des juifs et des musulmans) furent enterrés sous des croix, même ceux qui « bouffaient du curé ». Les « croix de bois », chères à Roland Dorgelès, sanctifiaient le sol de la « Fille aînée de l'Église ».

Mais à l'unisson dans la guerre succédèrent les dissensions dans la paix. Certains évêques français dirent que les Allemands devraient payer le prix de leurs crimes : « Vous êtes des débiteurs : il faut payer » (Mgr Touchet). Les évêques allemands affirmèrent évidemment l'inverse et protestèrent contre le traité de Versailles : « La misère que ce traité a portée sur notre peuple crie vengeance au ciel » (déclaration de l'archevêque de Cologne et des évêques de Münster et de Paderborn).

Les prélats inflexibles perpétuaient le refus de toute paix de compromis, telle que le pape Benoît XV avait essayé, dès 1915, d'en esquisser les principes. Mais d'autres prélats et prêtres, au vu des horreurs de la guerre, pensaient que la paix des peuples passait par le dialogue des Églises. Un prêtre allemand, Max-Joseph Metzger, avait créé, dès 1916, une Ligue de la Croix-Blanche pour la paix prônant une réconciliation des chrétiens. L'archevêque de Malines, le cardinal Mercier, mena, entre 1921 et 1926, des « conversations » avec un religieux catholique français, le Père Portal, et un aristocrate anglican britannique, lord Halifax.

Ces initiatives, à l'origine du mouvement œcuménique, étaient inséparables du contexte stratégique et dogmatique de l'époque. Elles signifiaient qu'on ne peut s'imposer par la force ni à un peuple ni à une âme. Et ce rapprochement des âmes chrétiennes devenait d'autant plus pressant que l'affrontement des peuples chrétiens avait suscité l'émergence d'un État athée, l'Union soviétique. Car la Révolution russe de 1917, issue de la Première Guerre mondiale, fut bien la victoire des « damnés de la terre » sur les disciples du Christ.

Mexique

La puissance et la gloire

Avec Christophe Colomb voguaient vers l'Amérique sabres et croix, caravelles et goupillons. Les soldats des rois très chrétiens, d'Espagne puis de Portugal, supprimaient des indigènes même si leurs arquebuses tuaient moins que la variole, laquelle divisa par dix la population du sous-continent. Entre virus et canons, celle-ci fut surprise de s'appeler américaine et indienne en mémoire d'un navigateur (Amerigo Vespucci) et en souvenir d'une confusion (entre l'Amérique et l'Inde).

L'Église baptisa en masse des Amérindiens terrorisés mais leur refusa souvent la communion et la prêtrise à cause des sacrifices humains, révélateurs d'une cruauté impardonnable. La cruauté des conquérants fut aussi dénoncée par certains religieux européens. Bartolomé de Las Casas, évêque du Chiapas (Mexique), demanda aux confesseurs de refuser l'absolution aux auteurs de violences. De même, à Saint-Domingue, le dominicain Antonio de Montesinos déclara à ses compatriotes et coreligionnaires : « Vous êtes tous en état de péché mortel à cause de votre cruauté envers une race innocente. »

Mexique

Autant que sa colonisation, l'indépendance de l'Amérique latine mêla étroitement le profane au religieux. Au Mexique, en 1810, le Père Hidalgo commanda une armée populaire et marcha sur Mexico aux cris de « Vive la Vierge de la Guadalupe ! Meurent les Espagnols ! ». Un autre prêtre, le Père Morelos, prit la tête de la guérilla anti-espagnole qui aboutit à l'indépendance (1821). Fusillés, ces deux ecclésiastiques obtinrent l'auréole du martyre et influencèrent les mouvements indépendantistes de toute l'Amérique latine.

Mais ce radicalisme d'une partie du bas clergé demeurait minoritaire et se heurtait à l'hostilité de la plupart des évêques d'origine espagnole comme de la majorité des dirigeants du nouvel État indépendant, francs-maçons et anticléricaux. Cet anticléricalisme suscita l'intervention de la France de Napoléon III (sous l'influence de la très pieuse impératrice Eugénie) et la création d'un éphémère empire dirigé par l'archiduc Maximilien d'Autriche. L'un des opposants à ce monarque très chrétien mais européen fut l'archevêque de Mexico. Quand Maximilien fut exécuté, le régime de Benito Juarez (un avocat d'origine indienne) put reprendre et accentuer sa politique anticléricale.

Le clergé « progressiste » affaiblit son Église sans infléchir ses ennemis. Telle est la leçon de *realpolitik* infligée au clergé mexicain. En 1917, une nouvelle Constitution instaura une séparation totale de l'Église et de l'État (comme en

France après la loi de 1905). En 1924, les religieux non mexicains furent expulsés et les congrégations enseignantes interdites. Cette persécution provoqua des soulèvements paysans brutalement réprimés, des exécutions de prêtres et des assassinats en représailles ainsi qu'une véritable bataille de « soldats du Christ-Roi » contre l'armée mexicaine (1927). Cet épisode de guerre civile et religieuse servit de cadre à l'admirable roman de Graham Greene *La Puissance et la Gloire* : on y voit un prêtre moralement indigne et civiquement déchu incarner l'âme des pauvres et l'esprit du peuple.

Ces mouvements d'émancipation engendrèrent ultérieurement un socialisme non violent (la théologie de la Libération) et un activisme armé (les prêtres guérilleros). Au Nicaragua, le mouvement révolutionnaire sandiniste comptait plusieurs prêtres parmi ses membres et, arrivé au pouvoir en 1979, il nomma un jésuite, le Père Ernesto Cardenal, ministre de la Culture. En Haïti, un prêtre salésien, le Père Jean-Bertrand Aristide, devint président de la République en 1990 avant de se voir chassé par ses adversaires qui lui reprochaient ses méthodes brutales, celles-là mêmes qu'il dénonçait lorsqu'il était dans l'opposition.

Dans toute l'Amérique latine, pendant que des évêques et des prêtres soutenaient les dictatures des généraux, d'autres religieux les combattaient, certains par les sermons d'autres par les fusils. Pour le meilleur ou pour le pire, chacun était convaincu d'avoir raison en brandissant l'étendard de la révolte ou la bannière de la soumission. Mourir debout au nom du peuple ou vivre à genoux sur son prie-Dieu, tel fut le choix de certains chrétiens d'Amérique du Sud à qui l'intransigeance de leur foi et la passion de leurs idées disaient que Dieu n'est jamais neutre.

Napoléon

Le sabre et le goupillon

Était-il un géant ou un nain ? Son nom serait apparenté à l'allemand *Nibelungen*, désignant une race de nains dans la mythologie germanique. Le général de Gaulle ne l'aimait guère parce qu'à la fin de son règne, il avait laissé la France plus petite qu'il ne l'avait trouvée à ses débuts.

Et pourtant les évêques l'ont encensé comme si ses conquêtes étaient des guerres saintes. Mgr de Boisgelin, archevêque de Tours, le compare à Cyrus : comme l'empereur perse avait rebâti le Temple (de Jérusalem), l'empereur français rétablit l'Église (catholique) après les persécutions de la Terreur. L'ancien sous-lieutenant d'artillerie « ne se sert de ses victoires que pour offrir la paix », établir la concorde en France et l'équilibre en Europe.

Selon Mgr de Belloy, archevêque de Paris, Napoléon, « l'homme que Dieu a choisi, est précédé par l'ange des conseils de Dieu... Ce n'est pas seulement la victoire qui marche devant son char, c'est la modération qui le conduit. Et Dieu qui tient son cœur dans sa main l'incline vers la paix. C'est pour ainsi dire sur le champ de bataille de Marengo que le héros français, touché des plaies de l'humanité, médite le rétablissement de la religion et l'œuvre de pacification générale ».

Ladite pacification fit un million de morts dans les armées françaises (au combat ou par maladie). Elle tua aussi beaucoup de catholiques autrichiens, d'orthodoxes russes ou de protestants anglais. L'évêque de Namur, Mgr de Bexon, eut un lyrisme biblique pour comparer l'« orgueilleux Anglais » à l'« impie Égyptien » tandis que la Manche se transformait en mer Rouge : « Seigneur, vous avez répandu votre souffle et la mer les a engloutis. »

En 1803, Mgr Zaepfell, évêque de Liège, promet les « trésors des grâces » de Dieu aux « guerriers français, les élus du dieu des armées ». Dix ans plus tard, après la bataille de Lutzen, Mgr Belmas, évêque de Cambrai, affirme : « La victoire que vient de remporter l'Empereur prouve qu'il est encore le protégé de Dieu, qu'il n'a point cessé d'être l'homme de sa droite. » Et Mgr de La Tour d'Auvergne, évêque d'Arras, ajoute : « Grâces immortelles vous soient rendues, ô mon Dieu ! Napoléon, restaurateur du culte de nos pères, est véritablement l'homme de votre droite ! C'est le lion de la tribu de Juda qui se bat au nom du Seigneur pour défendre la maison de Jacob. »

Ces comparaisons bibliques sont fort intéressantes car elles montrent que l'épiscopat français n'était pas (encore) contaminé par l'antisémitisme. Et ces louanges s'adressent à un chef d'État qui, par le Concordat (de 1801) et deux édits (de 1808), donnait un statut au catholicisme et au judaïsme. Partisan de la paix religieuse et de la guerre de conquête, Napoléon favorisait la parfaite alliance du sabre et du goupillon.

Mais les défaites militaires contraignirent les évêques à de brusques abjurations et à de rapides conversions. Mgr Demandolx, évêque d'Amiens, louait en janvier 1814 le « glorieux empereur » et dénonçait en mai de la même année « l'insatiable ambition d'un seul homme », « les fureurs de sa haine et de sa vengeance », « l'hydre si funeste à l'Europe », « sa puissance fondée sur l'injustice, acquise au prix du sang et des larmes de tant de millions d'hommes ».

Avec la restauration de Louis XVIII et des Bourbons, les évêques purent donc célébrer l'« auguste frère du roi » et « cette bonté qui lui est commune avec tous les descendants d'Henri IV » (Mgr Belmas).

Napoléon Ier était-il grand ou petit ? Peu importe. Les évêques célébreront le Second Empire comme le Premier et Napoléon le Petit, flétri par Victor Hugo, sera louangé par le corps épiscopal.

Mais si Napoléon III fut le protecteur de Pie IX (contre les républicains italiens), Napoléon Ier avait été l'oppresseur de Pie VII. Pour avoir refusé d'annuler le mariage de Jérôme Bonaparte, frère de l'empereur, le souverain pontife fut emprisonné par ce dernier et ses États furent annexés à l'Empire. Le pape réagit en excommuniant le monarque. Et pendant que les curés de France devaient célébrer la « Saint-Napoléon » (réplique de la Saint-Charlemagne), l'artilleur auréolé installait sur le trône de Rome son fils au lieu du pape.

De même, pendant que des prélats faisaient la cour à l'empereur, d'autres lui faisaient de l'ombre. Mgr de Broglie, évêque de Gand, demandait à Dieu d'amener Napoléon à « corriger les défectuosités » de son caractère. Et les pertes humaines des guerres répétées engendrèrent une lassitude chez les thuriféraires. Dans une paroisse du Jura où l'on devait chanter un *Te Deum* en honneur de la Grande Armée, on vit même les fidèles enthousiastes entonner le... *De profundis*.

Non-violence

Un concept écologique

La religion a engendré la violence et la non-violence comme elle a créé le diable et le bon Dieu. Si la plupart des religions ont eu leurs jours sans guerre (comme la trêve de Dieu dans le Moyen Âge chrétien), seule l'Inde a formulé l'interdit de tout acte sanglant. Certes, la Bible ordonnait : « Tu ne tueras point. » Mais dans le même temps, elle recensait (dans le livre des Nombres) « les hommes de vingt ans et plus », c'est-à-dire les combattants.

La pensée indienne a théorisé, vers le VIe siècle avant J.-C., la notion de non-nuisance (*ahimsâ*) comme premier devoir de l'être humain. « D'abord ne pas nuire » (*primum non nocere*), telle est la maxime des médecins occidentaux qui offre certaines similitudes avec la non-nuisance. Car la pire nuisance est le meurtre (le verbe latin *nocere* est issu d'une racine indo-européenne *nek* désignant l'acte de tuer).

Mais la non-nuisance indienne englobe tous les êtres vivants. Elle justifie le régime végétarien des brahmanes hindous et des moines bouddhistes (du moins de certains d'entre eux). Elle s'illustre par le masque porté par des ascètes jaïns devant la bouche afin de ne pas avaler de moucherons.

Pourquoi une prohibition aussi absolue est-elle apparue en ce pays et à cette époque ? L'absence de sources écrites indiennes antérieures au IIIe siècle avant J.-C. invite à la prudence. Les plus anciens écrits connus, les stèles gravées sur l'ordre de l'empereur Ashoka (vers 250 avant J.-C.), nous donnent cependant une indication précieuse. La première stèle interdit tous les sacrifices d'animaux, sauf « deux paons et une gazelle, et encore la gazelle pas régulièrement ».

La non-violence serait une réponse aux sacrifices sanglants des brahmanes et au risque de disparition des espèces. La vache sacrée est d'ailleurs une création écologique : elle nourrit par son lait et son beurre, soigne par son urine (utilisée dans la médecine ayurvédique) et chauffe par sa bouse (un combustible qui évite la déforestation).

La non-violence serait aussi une réponse aux sacrifices sanglants des guerriers. L'édit 13 mentionne un terrible massacre perpétré durant une guerre de conquête (au Kalinga, actuel État de l'Orissa) par les troupes d'Ashoka. Le remords de cette tuerie serait d'ailleurs à l'origine de la « conversion » de l'empereur au bouddhisme (ou, du moins, à ses principes moraux).

Paradoxalement, la non-violence fut, sinon inventée, du moins répandue par deux « guerriers » (*kshatriya*) du VIe siècle avant J.-C., le Jina et le Bouddha, considérés comme les fondateurs du jaïnisme et du bouddhisme. Au lieu de combattre leurs adversaires extérieurs, ils luttaient contre leur ennemi intérieur (le désir ou *kama*) et ce *jihad* ascétique passait par un absolu respect de l'autre. À la différence du moine-soldat qui prie en temps de paix et tue pendant la guerre, le Jina et le Bouddha voulaient instaurer une paix perpétuelle par l'extinction (*nirvâna*) des convoitises.

Gandhi, né dans le Gujarat, État fortement influencé par le jaïnisme, popularisa la non-violence dans le monde moderne par son refus de lancer une guerre d'indépendance. Mais toute règle souffre des exceptions et le bouddhisme a justifié la légitime défense comme le jaïnisme a des adeptes dans l'armée indienne. L'objection de conscience (également prêchée par les Témoins de Jéhovah) est une démarche plus individuelle que collective et aucune religion au monde n'a jamais parfaitement accepté, selon le conseil de Jésus, de tendre l'autre joue à celui qui l'avait frappé. Lui-même disait : « Je ne viens pas apporter la paix, mais le glaive. »

Philistins

Les vaincus d'une guerre sainte

Ils ont donné leur nom à la Palestine et furent les pires ennemis d'Israël. Ce nom apparaît sur une inscription égyptienne datant du pharaon Ramsès III (vers 1182-1153 avant J.-C.) évoquant des « peuples de la Mer » venus de Grèce, de Crète, de Sicile ou de Toscane. Ces peuples guerriers, possédant des chars et maîtrisant le fer, mirent un terme à la civilisation des Hittites (en Turquie) et à celle de Mycènes (en Grèce et en Crète). Mais les Philistins, ou *Pelishtim*, ne purent vaincre les Hébreux dont le combat fortifia l'unité d'Israël.

Ce fut une guerre sainte menée sous la direction de Yahvé Sabaoth, dieu de la « multitude organisée », en l'occurrence des armées. Les tribus firent alliance entre elles et avec Dieu dont l'Arche (d'Alliance), contenant les rouleaux de la Loi, accompagnait les combattants. Ce talisman de la victoire fut capturé par les Philistins qui préférèrent le rendre à Israël, car la précieuse Arche avait déclenché une épidémie de tumeurs dans leur armée. Tel est, d'après la Bible, la plus vieille arme bactériologique.

Pour renforcer sa puissance militaire, Israël

fortifia son régime politique en remplaçant les juges par les rois dont le premier fut Saül. Celui-ci fut tué au combat avec son fils Jonathan dont la mort suscita chez David une complainte amoureuse : « Jonathan, ton amour m'était plus merveilleux que l'amour des femmes » (II Samuel, 1, 26).

Pour épouser la fille aînée de Saül, Mérav, David eut à prouver son courage en ramenant à son futur beau-père deux cents prépuces de Philistins (I Samuel, 18, 27). Il avait déjà montré son habileté en tuant le géant Goliath, lourdement armé, grâce à un caillou lancé avec sa fronde (I Samuel 17, 49). La première guerre des pierres, la plus ancienne *intifada*, fut donc menée par Israël.

La victoire contre les Philistins transforma, selon la Bible, l'État de David en un vaste royaume englobant les territoires actuels de la Syrie et de la Jordanie. Elle aboutit aussi à une centralisation du culte à Jérusalem dans le Temple construit, d'après la Bible, par le fils de David, Salomon. La mystique du « grand Israël » et de la ville sainte (Jérusalem, cité de David) doit donc beaucoup aux récits bibliques de la guerre contre les Philistins, récits qui ne sont confirmés par aucune source extérieure. Toute mystique actuelle renvoyant à un mythe antique, la plus grande prudence s'impose face à des événements qui peuvent mêler l'Histoire à la légende.

À s'en tenir aux récits bibliques, la guerre contre les Philistins est le premier affrontement entre un peuple indo-européen (les Philistins) et un peuple sémitique (les Hébreux). C'est aussi un conflit entre une puissance maritime et un pays d'agriculteurs (comme Caïn) ou d'éleveurs (comme Abel). Les Phéniciens occupaient la côte libanaise et les Philistins la côte israélienne, leurs cités se trouvant près du rivage méditerranéen, entre Gaza et Tel-Aviv.

À la fin du XIXe siècle, les juifs d'Europe émigrèrent en Terre promise et s'installèrent sur le littoral de leurs antiques ennemis. Ils eurent bientôt à affronter les Palestiniens qui ont emprunté leur nom aux Philistins mais qui affirment plutôt descendre des Cananéens, peuple sémitique rival d'Israël. Les actuels territoires palestiniens (Judée, Samarie) ne correspondent pas, à l'exception notable de Gaza, à des sites philistins. Les incertitudes historiques et les décalages géographiques invitent à ne pas mettre l'« histoire sainte » au service d'une guerre moderne. Le « frondeur » David ne peut servir de référence ni à l'armée israélienne ni aux lanceurs de pierres palestiniens. Quant aux Philistins, leur nom désigna dans le langage allemand familier des gens incultes, aux arguments massue et à l'intellect limité. Tel fut le sort peu enviable de ces vaincus de l'Histoire.

Saint-Barthélemy

Crime politique ou guerre de religion ?

« Sire, j'ai reçu l'ordre, sous le sceau de Votre Majesté, de faire mourir tous les protestants qui sont dans ma province ; je respecte trop Votre Majesté pour ne point croire ces lettres supposées ; et si, ce à Dieu ne plaise, l'ordre ait véritablement émané d'Elle, je la respecte aussi trop pour lui obéir. »

Cette lettre semble un bel exemple de résistance morale contre la raison d'État. On eût aimé que les hauts fonctionnaires de Vichy en rédigent de semblables pour ne pas envoyer à la mort tous les juifs de leur province. Cette missive est adressée au roi de France Charles IX par Gaspard de Montmorin-Saint-Hérem, gouverneur d'Auvergne. Elle se situe après le massacre de protestants à Paris (nuit du 23 au 24 août 1572), tuerie qui se poursuivit en province jusqu'en octobre, avec une intensité plus ou moins grande selon le zèle des autorités et la furie des habitants.

Le seul problème est que cette lettre n'a jamais été écrite par son auteur supposé. Elle émane en réalité de Voltaire qui prêta ces propos à un fonctionnaire humaniste du XVIe siècle pour mieux illustrer sa lutte contre l'arbitraire royal dans la

France du XVIIIe siècle. Nombreux sont d'ailleurs les élèves de l'ÉNA qui, lors de leur grand oral, eurent à commenter ce texte, en pleine guerre d'Algérie, comme s'il émanait réellement et non fictivement d'un fonctionnaire au grand cœur.

La Saint-Barthélemy est un symbole éternel de l'arbitraire qui semble interdire toute analyse dépassionnée en dressant face à face l'innocence et la cruauté, les gens de bien et les hommes du mal. Gaspard de Montmorin avait sans doute un noble cœur : averti des troubles parisiens, il aurait mis les réformés en prison pour les protéger de la foule. Et le conseil de la ville de Clermont prit aussi, dès le 29 août, des mesures pour prévenir la justice expéditive et la vengeance privée. Mais ce fonctionnaire et ces élus bien intentionnés ne pouvaient se dérober entièrement aux injonctions royales. Montmorin dut aussi faire la guerre aux protestants et fut tué, en 1577, au siège d'Issoire.

Pourquoi la Saint-Barthélemy est-elle devenue, en France, l'archétype des violences religieuses ? Parce qu'elle respecte les trois règles de la tragédie classique : unité de temps, de lieu et d'action. En quelques heures sombres de notre histoire, en pleine nuit parisienne, des milliers d'« hérétiques » moururent par la volonté d'un seul ou d'une seule, d'un jeune roi (Charles IX) ou d'une ex-régente (Catherine de Médicis).

Mais le jeune roi avait d'abord cherché à se concilier le parti huguenot grâce à la paix de Saint-Germain (1570) qui accordait aux protestants la liberté de conscience et de culte. Et l'ex-régente avait essayé de maintenir l'équilibre entre protestants et catholiques, selon le vieux principe consistant à diviser pour régner.

La Saint-Barthélemy est l'œuvre de monarques sans scrupules et non de croyants fanatiques. C'est un crime politique plus qu'une guerre de religion. Après la balance, Catherine choisit le glaive et s'allie aux ultracatholiques du duc de Guise pour contrer l'influence de l'amiral huguenot Coligny sur son fils préféré, un jeune homme indécis. Mère abusive d'un enfant-roi, les liens du sang la poussent au crime de sang. D'autant que les calvinistes, au nom de l'égalité des croyants, préfèrent souvent les républiques aux royaumes. Coligny voulait en fonder une dans la Flandre espagnole.

En ce temps-là, on appliquait le principe *cujus regio ejus religio* (telle région, telle religion) : le pluralisme religieux engendre la pluralité des partis, jugée incompatible avec l'unité nationale. Mais la dimension internationale n'est pas absente de la Saint-Barthélemy : le parti catholique voulait s'allier avec l'Espagne et le parti protestant avec les Pays-Bas et l'Angleterre. La portée continentale de cet horrible massacre nous rappelle que l'œcuménisme est inséparable de l'unité européenne. Le traité de Rome a précédé le concile Vatican II car diplomates et théologiens étaient mus par la volonté d'en finir avec les haines du passé pour communier dans la foi en l'avenir.

Sikhs

Le poignard et le turban

Une religion guerrière est-elle toujours violente ? Telle est la question posée par les sikhs dont le dixième gourou, Govind Singh (1666-1708), déclara : « Le sabre est Dieu et Dieu est le sabre. » À défaut de cette lame encombrante, les sikhs ont un poignard au côté, le *kirpan*, symbole de résistance au mal. Mais si le courage est vertueux, l'arme sacrée est-elle féroce ?

La réponse n'est pas simple tant les sikhs multiplient les contrastes. Leur religion est virile : les hommes portent la barbe et leurs cheveux longs, enfermés dans un turban, évoquent ceux de Samson tandis que leur caleçon long, le *kachh*, est symbole de chasteté mais aussi sous-vêtement pour le combat. Ils ajoutent à leur nom le mot « lion » (*singh*) et leur communauté vénère le *khanda*, glaive à double tranchant représentant la foi en un dieu unique et servant à mêler le sucre à l'eau bénite (*amrit*), signe d'immortalité qu'on retrouve dans le nom de leur ville sainte, Amritsar.

Mais les sikhs ne sont pas misogynes et leurs femmes sont appelées *ardhangi* (la meilleure moitié). Elles sont les égales des hommes et peuvent lire en public et psalmodier le livre sacré (Âdi Granth), une faculté refusée aux femmes catholiques jusqu'au concile Vatican II. Les femmes sikhs jouent aussi un rôle majeur dans les *langar*, sortes de restaurants du cœur situés à proximité des temples et servant gratuitement la nourriture : les sikhs ne reconnaissant pas les castes, les convives peuvent se mélanger à table sans crainte d'être « contaminés » par des gens de rang inférieur.

Du convivial au militaire, il n'y a jamais loin tant l'armée est un lieu de brassage, un amalgame social rejetant exclusions et privilèges. Si le système des castes s'appliquait intégralement à l'armée indienne, jamais un *brahman* ne pourrait partager sa ration avec un *pariâ*, dormir dans la tente d'un *dalit*, toucher le fusil d'un « intouchable ». Ces « enfants de Dieu » (*harijân*) pollueraient les hommes.

Les sikhs, rejetant les castes, constituent des recrues idéales : ils représentent 2 % de la population indienne et plus de 10 % des effectifs militaires. En 1857, ils avaient déjà aidé les Anglais à mater la révolte des Cipayes et, en contrepartie, avaient obtenu de nombreux postes dans l'armée des Indes (contre laquelle ils avaient pourtant guerroyé huit ans plus tôt) comme leurs grands rivaux, les gurkhas népalais (originaires de l'ouest de l'Inde comme les sikhs) issus d'une sous-caste guerrière (les *râjput*).

Devant les invasions musulmanes, gurkhas et sikhs adoptèrent au XVIe siècle deux stratégies opposées. Les gurkhas changèrent de région (migrant du Rajasthan vers le centre du Népal) et gardèrent leur religion (l'hindouisme). Les sikhs restèrent dans leur région (le Pendjab) et changèrent de religion en créant le sikhisme (du sanskrit *shishya,* « disciple »), syncrétisme d'islam et d'hindouisme : les sikhs croient au dieu unique comme les musulmans et à la réincarnation comme les hindous.

Autant que les imams chiites, les gourous sikhs ont suscité le culte des martyrs par leur mort héroïque. Persécutés par les empereurs moghols, ils restèrent fidèles à leur idéal de fraternité universelle. Hérétiques pour les musulmans, renégats pour les hindous, les sikhs n'ont jamais pu trouver leur place dans une Inde multiculturelle et revendiquent la création d'un État qui leur serait réservé, le Khalistan, pays de la *Khalsa* (les Élus). Le Temple d'or d'Amritsar et ses abords furent le théâtre de sanglants affrontements : en 1919, un général britannique fit tirer sur la foule, tuant trois cent soixante-dix-neuf personnes. En 1984, le Premier ministre de l'Inde, Indira Gandhi, fit prendre d'assaut le temple au prix de nombreuses victimes. En représailles, elle fut assassinée par ses gardes du corps sikhs.

Tel est le bilan assez équilibré des vertus guerrières et des penchants violents des sikhs. Ceux-ci les assument avec fierté même s'ils engendrent toujours une certaine crainte. Dans les aéroports, on a parfois demandé aux sikhs d'enlever leur turban, de peur qu'ils n'y cachent quelque explosif. Mais aux avions ils préfèrent les taxis qu'ils conduisent en très grand nombre : ils sont sûrs de ne pas contaminer les voyageurs ni d'être pollués par leur argent puisque, comme les jaïns, ils ne hiérarchisent pas le genre humain. Et ils lavent les impuretés des hommes et des femmes dans les bassins sacrés de leurs temples, largement ouverts à l'étranger au nom de l'universelle fraternité.

Suisse

La foi n'est pas neutre

> « *Des grands monts vient le secours,*
> *Suisse, espère en Dieu toujours.* »

Oui, mais en quel dieu ? L'hymne national helvétique ne le précise pas. Redoutables fantassins selon César, les Helvètes adoraient les dieux du panthéon gréco-romain sans oublier les divinités proche-orientales. Ils rendaient donc un culte à Minerve, Artémis, Isis, Osiris et Sérapis, Cybèle et Dionysos. En ce pays de vaches et de soldats, on vénérait aussi Mithra, dieu des guerriers et des taureaux. Et c'est un légionnaire, Maurice, qui aurait donné à la Suisse, vers 302 après J.-C., son premier saint et martyr.

Devenus chrétiens, les Helvètes eurent à subir une domination nobiliaire et cléricale. Montagnards indépendants, ils affrontèrent les comtes d'Empire et les princes-évêques. La Confédération helvétique s'est formée contre le Saint-Empire romain germanique et le pouvoir pontifical, c'est-à-dire contre l'alliance du trône et de l'autel. Un grand mouvement rural et communal, celui des Walser (le canton du Valais en est issu), refusa le servage et la pénitence, la corvée des seigneurs et la dîme du clergé. Paradoxalement, le pays qui fournit la garde suisse du pape est celui qui a le plus lutté contre l'Église catholique.

La légende de Guillaume Tell résume ce désir de liberté à la force des armes. Ce pays subissait des guerres incessantes : aussi est-il devenu un État neutre depuis la défaite de Marignan (1515) face aux troupes de François Ier. Privés de combats extérieurs, les soldats suisses durent vendre leurs services aux armées étrangères quitte à éprouver le mal du pays, la nostalgie ou « maladie du retour ». « Nostalgie » fut d'ailleurs un mot créé, en 1678, par un jeune médecin alsacien, le docteur Hofer, soignant les mercenaires suisses au service du roi de France.

Mais les guerres intestines furent ranimées par les conflits religieux. La Réforme gagna rapidement la Suisse par l'alliance des pasteurs et des bourgeois. L'hostilité aux évêques et aux seigneurs permit des accords entre conseils municipaux et communautés chrétiennes. Mais certains cantons refusèrent le protestantisme et prirent les armes. À la bataille de Kappel (1531), ils mirent un frein à l'expansion de la Réforme et un terme à la vie de Zwingli. Pendant trois siècles, une barrière religieuse coupera en deux la Suisse.

Cette barrière ne fut levée qu'en 1848, après la guerre du *Sonderbund* (Ligue séparée). Cette ligue avait été formée, en 1845, par les cantons catholiques et conservateurs de Lucerne, Uri, Schwyz, Zoug, Unterwald, Fribourg et du Valais : ils refusaient les mesures centralisatrices et anticléricales prises par les cantons protestants et libéraux ou « radicaux » (Vaud, Genève, Berne, Zurich, Bâle, etc.), souvent plus riches que leurs homologues catholiques. L'armée fédérale, obéissant à la majorité protestante des élus du pays, vint à bout de la résistance catholique après une courte guerre qui fit une centaine de morts et aboutit à l'expulsion des jésuites. Le chef de cette armée, le général Dufour, donna son nom au point culminant du pays, la pointe Dufour (4 638 mètres) dans le massif du Mont-Rose. Et il fit dresser des cartes d'état-major, aujourd'hui utilisées par tous les promeneurs et alpinistes. Car, vieux pays de fantassins, la paisible Helvétie est devenue le paradis des randonneurs.

Et l'on oublie qu'elle fut aussi l'Éden des écoliers. C'est en effet Calvin qui inventa, à Genève, dès 1536, l'instruction primaire gratuite et obligatoire. C'était une première mondiale qui fut répétée, un siècle plus tard, par les puritains du Massachusetts (descendants des pèlerins du *Mayflower* de Plymouth) : ils créèrent, en 1642, le premier enseignement obligatoire et gratuit sur le continent américain. Ces austères protestants eurent l'idée d'inventer l'école pour les enfants et d'interdire le cabaret aux adultes. Telle était leur antinomie de l'effort et du plaisir.

Tolérance

La paix blanche du grès rouge

Peut-on supprimer les guerres de religion par la tolérance universelle ? L'empereur moghol Akbar (1556-1605) le pensait même s'il préparait des guerres profanes tout en refusant les guerres saintes. Son échec final montre l'impuissance des chefs temporels en matière spirituelle.

En 1568, l'empereur musulman se rendit en pèlerinage à Sikrî (près d'Agra) sur la tombe d'un ascète musulman. Il y rencontra un saint soufi, Shaikh Salim Chisthi, qui lui promit une descendance. Trois ans plus tard, il édifia en ce lieu la splendide cité de Fatehpur Sikrî, la « ville de la Victoire », ainsi nommée pour commémorer sa conquête du Gujarat. Dans cet extraordinaire ensemble de grès rouge (l'un des chefs-d'œuvre de l'architecture mondiale), Akbar fit construire une mosquée où il prôna la tolérance universelle et fonda, en 1582, la « foi divine » (*Dîn-i Ilâhî*), une nouvelle religion synthétisant christianisme, islam, jaïnisme, hindouisme et zoroastrisme.

Akbar espérait ainsi mettre fin aux violences entre hindous et musulmans qui avaient déjà causé plusieurs millions de morts et auxquels les monarques indiens avaient largement participé. Cette idée de tolérance était au cœur du soufisme que chérissait l'empereur et auquel il dédia un splendide monument, le tombeau de Shaikh Salim Chisthi, édifice de grès rouge recouvert de marbre blanc.

La religion universelle eut vingt-trois fidèles, tous courtisans de l'empereur. Les musulmans refusèrent ce syncrétisme et fomentèrent une révolte écrasée en 1581. Les hindous s'indignèrent de l'hérésie d'un monarque étranger. Celui-ci avait probablement été influencé par des jésuites (venus de Goa) qui cherchaient à se fondre dans le paysage religieux indien et devenaient brahmanes comme leurs confrères de Chine se faisaient mandarins. Les efforts d'inculturation de la Société de Jésus échouèrent tout autant que la tentative syncrétique du chef d'État indien.

Comme Akhénaton unifiant les dieux de l'Égypte au profit de son propre culte, Akbar voulait une religion unique à sa dévotion, lui dont le nom (*Akbar*, « grand ») est un attribut divin (*Allah hou Akbar*). L'échec du « Grand Roi » fut encore plus rapide que celui du pharaon. Sans doute les croyants se méfient-ils des ambitions stratégiques des rois mystiques. D'ailleurs, Akbar reprit bien vite ses campagnes militaires au Bengale, dans le Sind (vallée de l'Indus), l'Orissa (au sud du Bengale) et le Baluchistan (sud-ouest de l'Inde). Mais son œcuménisme eut aussi des prolongements diplomatiques avec les ambassades qu'il mena auprès des Portugais et des Persans. De gré ou de force, Akbar se taillait un empire.

Cet œcuménisme très politique était aussi prophétique. En 1575, Akbar créa à Fatehpur Sikrî une « maison de l'Adoration » (*Ibâdat-khâna*) qui réunissait les diverses tendances de l'islam. En 1578, cette maison fut ouverte aux fidèles de toutes les religions et elle préfigurait le Parlement des religions réuni lors de l'Exposition universelle de Chicago (1893) voire le Colloque interreligieux d'Assise (1986) organisé par Jean-Paul II.

Akbar eut plus de chance avec les femmes qu'avec Dieu : ses épouses appartenant à toutes les religions formaient un harem très œcuménique. Comme Akhénaton, il vénérait le soleil et, comme Ashoka, il restreignait l'abattage des animaux. Il entra aussi en relation avec les sikhs et, tel Frédéric II de Prusse, dialogua avec les philosophes de son temps. Son fils, Jahângir, lui succéda en 1605 avec le titre de *Nûr ud-Dîn Jahângir* (Lumière de la religion, Maître du monde). Son petit-fils, Shâh Jahân (1628-1658), fit construire le célèbre mausolée d'Agra en l'honneur de son épouse favorite Mumtaz Mahal, l'une des quatorze cents femmes de son harem. Le marbre blanc triomphait du grès rouge d'autant que Fatehpur Sikrî, manquant de points d'eau, périclita. La ville désertée demeure néanmoins le miracle de pierre d'une religion du cœur.

Vatican I

Les canons du dogme

Infaillible et impuissant : tel est le pape depuis qu'il a reçu les pleins pouvoirs spirituels et perdu toute puissance temporelle. Cette mutation est étroitement liée aux conflits idéologiques et géostratégiques de l'Europe du XIXe siècle.

La substitution de la cité de Dieu à la cité des hommes s'effectue lors de la proclamation du dogme de l'Infaillibilité pontificale (1870) qui coïncide avec la suppression des États pontificaux : le souverain pontife abdique sa royauté et détient la vérité. Son prestige religieux, auparavant très contesté, s'accroît quand son pouvoir profane décline.

La « question romaine » fut ainsi résolue et l'unité italienne constituée au prix d'une guerre mêlant convictions nationalistes et aspirations socialistes : le *Risorgimento* (Résurrection) de Cavour et des Chemises rouges de Garibaldi. Cette « résurrection » de l'Italie, issue de la Rome antique, allait revêtir une dimension anticléricale comme l'infaillibilité du pape était antilibérale.

Après les violences de la révolution de 1848, le pape Pie IX adopta une attitude conservatrice en politique comme en théologie. Par la bulle *Ineffabilis Deus* du 8 décembre 1854, il proclamait le dogme de l'Immaculée Conception de Marie, « préservée intacte de toute souillure du péché originel » (mais née naturellement d'un homme et d'une femme). Par l'encyclique *Quanta cura* du 8 décembre 1864 (dixième anniversaire de la bulle), le pape dénonçait « naturalisme », socialisme et communisme. À cette encyclique était annexé un « catalogue d'erreurs », le *Syllabus,* qui condamnait panthéisme, rationalisme, indifférentisme, « latitudinarisme », etc. Et la soixante-quinzième erreur dénoncée par le *Syllabus* concernait justement la mise en doute de la souveraineté civile et de la souveraineté spirituelle (de l'Église catholique).

Le pape avait donc défini un dogme sans mandat pour le proclamer (tous les dogmes catholiques avaient été définis par des conciles) et dénoncé des erreurs sans moyens pour les combattre (l'Inquisition n'avait plus de force coercitive). Il se sortit de cette double difficulté en convoquant un concile pour conforter sa primauté dogmatique et son prestige pastoral. Ce concile de Vatican I fut ouvert le 8 décembre 1869 en la fête de l'Immaculée Conception.

Mais si l'évêque de Rome devient infaillible, ses collègues mitrés demeurent faillibles et cette infériorité relative réduit les effets de leurs coups de crosse. Nombreux étaient les opposants à l'infaillibilité, notamment dans les épiscopats français et allemand (ces deux épiscopats jouèrent un rôle majeur dans le renforcement des pouvoirs épiscopaux décrété par le concile Vatican II). Le populaire Mgr Dupanloup, évêque d'Orléans, se demandait ironiquement comment l'Église avait pu très bien vivre « dix-huit siècles sans que ce principe essentiel à sa vie ait été défini ».

Il était encore plus difficile au pape de s'opposer aux chefs des grandes puissances, à Bismarck, le vainqueur de Sadowa (contre l'Autriche catholique) et à Napoléon III, le vainqueur de Solférino (également contre l'Autriche catholique). Or ni l'un ni l'autre ne voulaient d'un pape trop fort.

Le 20 février 1870, le comte Daru, ministre français des Affaires étrangères, fit savoir au Saint-Siège que le gouvernement français demandait à être admis à formuler des observations avant tout vote définitif. Le 6 avril 1870, dans un mémorandum, le Conseil des ministres français conviait tous les États à faire respecter par le concile « les droits et les libertés de la société civile » (opposée à la souveraineté spirituelle du pape). Ce texte fut appuyé par les gouvernements d'Espagne, du Portugal, d'Autriche, de Bavière, d'Angleterre et de la Confédération germanique du Nord. La proclamation du dogme semblait donc impossible.

Mais la montée de la tension entre la France et la Prusse conduisit celle-ci à infléchir sa position dans le sens d'une grande prudence afin de ne pas heurter le pape et l'opinion catholique à la veille d'une guerre probable. La *realpolitik* poussait Bismarck vers la neutralité religieuse. De plus, si le comte Daru, catholique pratiquant, soutenait les évêques hostiles à l'infaillibilité et poussait Napoléon III à les défendre, Émile Ollivier, Premier ministre non pratiquant, plaidait pour une politique de non-intervention dans les affaires intérieures de l'Église et même pour une séparation de l'Église et de l'État. L'empereur trancha en faveur de son Premier ministre, et comme le ministre des Affaires étrangères avait démissionné (par opposition à l'Empire libéral et à une politique jugée trop tiède à l'égard de la Prusse), la cause des anti-infaillibilistes n'avait plus de défenseurs influents parmi les grandes puissances.

Le concile, qui tenait ses séances sous la protection des troupes françaises, proclama le dogme de l'Infaillibilité pontificale le 18 juillet. Le lendemain éclata la guerre franco-allemande et la France retira ses soldats de la Ville éternelle où entrèrent les républicains de Garibaldi. Le pape se considéra comme prisonnier au Vatican et le concile fut suspendu sine die.

Déçu de ne pas avoir été remercié par le pape pour sa neutralité bienveillante, Bismarck déclencha le « combat pour la civilisation » (*Kulturkampf*) contre le parti catholique du centre qui constituait une menace pour l'unité de l'Empire (la Bavière catholique s'opposait à la Prusse protestante). Par une dépêche publiée le 29 décembre 1874, le « chancelier de fer » donna sa propre interprétation de la constitution *Pastor aeternus* du concile et estima que l'infaillibilité relevait de l'absolutisme en rognant sur le pouvoir épiscopal au nom de la puissance pontificale.

Mais face à la montée du socialisme, Bismarck arrêta son combat anticatholique et, à l'exception d'une petite Église « vieille-catholique », plus personne en Europe ne lutta contre les privilèges de l'infaillibilité. Ainsi le pape pouvait-il se dire à la fois prisonnier en son palais et tout-puissant en son Église.

Vaudois

La rebellion des Humiliés

Son nom est mal connu et son œuvre méconnue. Il s'appelait Pierre de Vaux ou Valdo ou Valdès. Il lutta, huit siècles avant le concile Vatican II, « pour une Église servante et pauvre » (P. Congar) et, huit siècles avant la théologie de la Libération, prôna une option préférentielle pour les pauvres. Bien sûr, comme tous les apôtres de la pauvreté, il était riche. Ce commerçant lyonnais prospère, comme le gentilhomme italien François d'Assise (son quasi-contemporain), réunit des disciples qu'on appelait les humiliés, ou les vaudois.

François, le *Poverello*, fut canonisé et Pierre, le « pauvre de Lyon », persécuté (en 1184, il fut interdit de prêcher). Mais ce contraste est à nuancer : certains franciscains radicaux, les « fraticelles », furent excommuniés voire exécutés. Et certains vaudois modérés, les « pauvres catholiques », seront encouragés par le pape Innocent III. Si les plus intransigeants finiront sur le bûcher de l'Inquisition, d'autres peupleront les vallées haut-alpines de la Vallouise et du Queyras. En Lombardie, ils rejoindront la Réforme et les protestants italiens d'aujourd'hui sont souvent des descendants de ces vaudois.

La frontière entre hérésie et orthodoxie était alors incertaine : face aux chrétiens protestataires, les tribunaux de l'Église pouvaient dire que la coupe était pleine ou que leur dossier était vide. Généralement, les mœurs étaient absoutes et les doctrines condamnées car la hiérarchie craignait moins les actes que la pensée, la déviance discrète que l' » erreur » justifiée.

Trois siècles avant Luther, Valdo traduisit la Bible en langue « vulgaire » pour que chaque fidèle, même laïque, puisse l'assimiler, voire la commenter. Huit siècles avant Gandhi, les « barbes » (surnoms des vaudois) prêchaient la non-violence, refusaient les ordres des généraux et les sentences des tribunaux. Valdo voulait vivre « pauvre et nu comme Jésus » et certains de ses disciples en Bohême, les adamites, prirent à la lettre ce conseil, tels les jaïns *digambara* (vêtus de ciel) qui se promènent dans le costume de Manou (l'Adam indien).

Car les thèses des vaudois (et du théologien anglais Wyclif) avaient fait des adeptes du côté de Prague. À Kromeriz, le prédicateur Jan Milic, mort en 1374, demandait une société égalitaire, une Jérusalem communautaire. Les Actes des Apôtres étaient son brûlot anarchiste et même communiste : « Tous ceux qui étaient devenus croyants étaient unis et mettaient tout en commun. Ils vendaient leurs propriétés et leurs biens pour en partager le prix entre tous, selon les besoins de chacun » (Actes, 2, 44).

Reprenant les idées de Valdo, de Milic et de Wyclif, Jan Hus (1371-1415) demanda la nationalisation des biens du clergé, la suppression des indulgences pontificales et de la hiérarchie ecclésiastique. Il ne reconnaissait pas le pouvoir sacerdotal ni la valeur des sacrements (sauf le baptême), et le concile de Constance le condamna au bûcher.

Son martyre provoqua une révolte populaire noyée dans le sang par l'empereur Sigismond. Le sud de la Bohême tenta de résister en formant une vaste commune populaire dite du Tabor, en souvenir du mont Thabor, forteresse naturelle où les tribus d'Israël se réfugiaient et où Jésus fut transfiguré. Les hussites furent vaincus mais les plus modérés d'entre eux, les uraquistes, obtinrent quelques satisfactions et, en 1433, le concile de Bâle leur accorda la communion sous les deux espèces du pain et du vin. Et comme les disciples italiens de Valdo, les disciples bohémiens de Jan Hus rallièrent finalement la Réforme.

Toutes les idées de celle-ci étaient déjà contenues dans les thèses des vaudois (ils prônaient le salut individuel et rejetaient les pouvoirs sacerdotaux) et des hussites (ils condamnaient le culte des saints et croyaient à la prédestination). Entre l'échec des précurseurs et le succès de la Réforme, il y a l'évolution du rapport de force liée à l'hostilité croissante des pouvoirs temporels à l'égard de l'autorité spirituelle : les princes changèrent de foi et la victoire changea de camp.

Vietnam

Canonnières et missionnaires

Le Vietnam évoque des guerres coloniales plus que religieuses. Mais ces deux adjectifs sont indissociables dans un pays où on n'a guère séparé (comme en Chine) pouvoir de l'État et mandat du Ciel, puissance du trône et service de l'autel. En deux mille ans d'histoire militaire, le Vietnam a toujours réuni l'épée et l'encens, le sabre et le goupilllon, les missionnaires et les canonnières.

Depuis deux mille ans, l'« Indochine » (une

expression des géographes français) est la synthèse de l'Inde et de la Chine, de l'hindouisme et du confucianisme, du bouddhisme et du taoïsme. Et cette synthèse fut parfois belliqueuse. Au VIIIe siècle après J.-C., le royaume hindou du Champa (centre du Vietnam) entra en conflit avec les Vietnamiens du Tonkin, sinisés et confucéens. Du XIIIe au XVe siècle, la rivalité entre confucéens et bouddhistes aboutit à la destruction de nombreuses pagodes et manuscrits bouddhiques. La vision occidentale d'une coexistence toujours harmonieuse entre religions extrême-orientales se trouve, au Vietnam comme en Chine, démentie par les faits.

Les missionnaires catholiques, franciscains, dominicains ou jésuites, portugais, espagnols ou français, débarquèrent au Vietnam à partir de 1516. Et, dès 1533, les rois viet prirent des décisions puis des règlements interdisant le christianisme qui s'opposait au culte des Ancêtres et à la vénération du Ciel, deux pratiques issues de la religion chinoise. En 1787, Louis XVI autorisa une expédition de secours destinée à aider les missionnaires français alliés à la famille Nguyen des empereurs de Hué contre une révolte nationaliste, la rébellion des Tay Son (1771-1802).

Le catholicisme s'allia au conservatisme contre le nationalisme : tous les ingrédients de la future guerre d'indépendance étaient déjà réunis. Mais le catholicisme apporta aussi au Vietnam le meilleur de la technique occidentale sous la forme de l'alphabet latin (grâce au jésuite français Alexandre de Rhodes, 1591-1660), beaucoup plus facile à apprendre que les caractères chinois. Socialement conservateur et techniquement réformiste, le christianisme fut désormais associé à tous les soubresauts de l'histoire du Vietnam.

En 1841, l'empereur Thien Tri expulse la plupart des missionnaires étrangers. En représailles, la marine française pilonne le port de Danang et, en 1858, après un massacre de missionnaires, des navires français et espagnols prennent d'assaut Danang. En 1862, l'empereur Tu Duc doit signer un traité cédant à la France la souveraineté sur la Cochinchine (sud du Vietnam), autorisant les missionnaires à prêcher et les trafiquants d'opium à commercer. Ce mélange d'armes, de drogues et de Dieu ressemble beaucoup à la guerre de l'opium qui sévit vingt ans plus tôt en Chine.

Mais dans le nord du pays, la révolte des Drapeaux noirs s'en prend aux Vietnamiens francophiles et catholiques : les persécutions ne cessent qu'en 1885, quand l'armée française conquiert le Tonkin (nord du Vietnam). En 1940, le nationalisme antifrançais reçoit le renfort des bouddhistes du mouvement Hoa Hao (la Paix et la Bonté) dont le chef Phat Song (le Bouddha vivant) est interné dans un asile psychiatrique par les Français en 1940 avant d'être exécuté par les communistes du Vietminh en 1947. Mais en 1956, le gouvernement sud-vietnamien du très catholique Ngo Dinh Diem fait exécuter l'un des chefs du mouvement et une partie des Hoa Hao rejoint le Vietcong.

Cette ambiguïté des relations entre religions locales et nationalisme vietnamien se retrouve dans l'histoire du caodaïsme (un syncrétisme de toutes les religions et dévotions), fondé en 1921 par Ngo Van Chieu, fonctionnaire de l'administration coloniale. Accusés de propagande nationaliste, les chefs de ce mouvement furent arrêtés et déportés dans les années trente. Au contraire, entre 1946 et 1954, les caodaïstes sont armés par les Français pour lutter contre le Vietminh avant que, par un nouveau renversement de situation, ils ne constituent, en 1955, avec les Hoa Hao, un Front unifié des forces nationales opposé au gouvernement Diem. Pourtant, en 1975, les caodaïstes seront persécutés par le gouvernement communiste du Vietnam réunifié avant de bénéficier, comme les Hoa Hao, des mesures d'ouverture politique des autorités vietnamiennes.

Entre-temps, Diem, frère du très conservateur archevêque de Hué, avait suscité l'opposition des protestants et des bouddhistes de toute obédience et, en 1963, des bonzes s'immolèrent par le feu. Le ralliement des bouddhistes au Front national de libération sera l'une des principales causes de la victoire communiste. Il n'empêcha pas, entre 1975 et 1990, diverses mesures antireligieuses du nouveau régime qui, depuis quelques années, admet la réouverture de nombreux monastères. Dans le Vietnam officiellement athée, églises catholiques et pagodes bouddhiques attirent la foule des fidèles.

Il est à noter que le facteur déclenchant de la guerre d'Indochine fut le bombardement du port de Haiphong le 23 novembre 1946 sur l'ordre du haut-commissaire français, l'amiral Thierry d'Argenlieu, ancien carme déchaussé. Ce moine-soldat, partisan d'une politique de force, doutait des tentatives de négociation du général Leclerc. Mais le premier résultat de la défaite française de Dien Bien Phu (1954) fut le départ de très nombreux catholiques nord-vietnamiens vers le sud. De même, la défaite américaine de 1973-1975 provoqua la fuite massive de catholiques, victimes d'un conflit où nationalisme et athéisme firent une alliance victorieuse.

Dans cette histoire politico-religieuse mouvementée, une minuscule communauté musulmane vietnamienne a pu se maintenir alors qu'elle fut en grande partie exterminée au Cambodge. Ces cham, hindous convertis à l'islam à partir du XVe siècle, ignorent à peu près tout du Coran et de l'arabe. Ils consomment de l'alcool (mais pas de porc) et ne font pas le pèlerinage de La Mecque. Ils ne prient que le vendredi et leur ramadan dure seulement trois jours. Ils gardent encore le culte des dieux hindous tout en adorant Allah, le dieu unique. Comme les caodaïstes vénérant Victor Hugo et Lao-tseu, les cham illustrent le génie vietnamien du mariage des contraires.

Table

Du même auteur

Aux Éditions Albin Michel

Dieu a changé d'adresse,
Desclée de Brouwer, 2001, rééd. coll. « Espaces libres », 2004.

L'Évangile des païens
Une lecture laïque de l'Évangile de Luc, 2003.

Petit lexique des idées fausses sur les religions, 2002.

Petit lexique des mots essentiels, 2001.

Jésus et Bouddha,
coll. « Espaces libres », 1999.

Qu'est-ce qu'une religion ?,
coll. « Espaces libres », 1999.

Le Honteux et le Sacré, 1998.

L'Affaire Oscar Wilde
ou du danger de laisser la justice mettre le nez dans nos draps, 1995.

L'École ou de la vanité considérée
comme un mode de gouvernement, 1991.

Chez d'autres éditeurs

L'Héritage des religions premières,
Gallimard, 2003.

Les Religions dans le monde,
Flammarion, 2003.

Hymnes au masculin,
Mercure de France, 2000.

Hymnes à la Terre-Mère,
Mercure de France, 2000.

Le Cantique des cantiques,
Mercure de France, 2000.

Une autre histoire des religions,
coll. « Découvertes », Gallimard Jeunesse, 2000.

Femmes et religions,
coll. « Découvertes », Gallimard Jeunesse, 1994.

Composition Nord Compo
et impression Bussière Camedan Imprimeries
en décembre 2003.

N° d'édition : 22106. – N° d'impression : 035831/1.
Dépôt légal : janvier 2004.
Imprimé en France.